Einaudi Tascabili. Stile libero
799

Carlo Lucarelli
Un giorno dopo l'altro

Einaudi

© 2000 Giulio Einaudi editore s. p. a., Torino

www. einaudi. it

ISBN 88-06-15587 - 3

Un giorno dopo l'altro

*A mia madre, molto diversa
da quella che c'è qui*

American pit bull terrier (Pit bull). Nato nell'Otto-
cento dall'incrocio tra bulldog e terrier, fu usato come
cane da combattimento per la forza di carattere e la mu-
scolatura atletica. Quando le lotte tra cani divennero illegali, sviluppò le doti di socievolezza, lealtà e buona
compagnia. Ma si dice che, quando un esemplare giovane cade nelle mani di un addestratore senza scrupoli, ri-
trova quella ferocia che lo rese famoso come «il cane piú
pericoloso del mondo».

Doveva aver fatto un volo di almeno dieci metri, perché la macchina stava ancora bruciando molto piú indietro, ferma accanto al marciapiede, tra un furgoncino dal parabrezza incrinato e una Volvo col bagagliaio spalancato dall'esplosione. Doveva essere uscito sfondando il vetro davanti col sedile e tutto, come espulso da un jet, e doveva aver fatto una capriola per aria, perché era atterrato di schiena, quasi in mezzo all'incrocio. Doveva essere morto, perché la bomba, sparandolo fuori dall'auto, gli aveva strappato tutte e due le gambe all'altezza del ginocchio, bruciandogli il resto del corpo fino all'osso, e invece era ancora vivo e stringeva la bandoliera bianca del brigadiere Carrone, e la stringeva forte, come se volesse strangolarlo. Cercava di parlare, le labbra arricciate sui denti, piegate all'ingiú in uno sforzo che gli gonfiava una bolla rossa di saliva all'angolo della bocca. Teneva l'unico occhio aperto fisso sul brigadiere e intanto tirava e tirava, spingendo fuori dalla gola bruciata un gorgoglio raschiante e teso, che sembrava strappargli i polmoni di bocca.

– Coraggio, – disse il brigadiere, – sta arrivando l'ambulanza... coraggio –. Si sentí stupido, inevitabilmente stupido a parlare cosí a un uomo ustionato a morte e senza piú le gambe, e intanto strappava indietro, perché c'era abituato a queste cose, era stato

*in Irpinia per il terremoto, aveva fatto un turno in Ko-
sovo ed era a Capaci quando avevano fatto saltare Fal-
cone e i cugini della scorta, ma quell'uomo continuava
a tirarlo verso di sé, verso la bocca scavata e rinsec-
chita che sembrava già quella di un morto, e non gli
faceva schifo, no. Gli faceva paura.*

*L'uomo smise di tirare e le mani gli scivolarono sul-
la pelle screpolata della tracolla del brigadiere, lasciando una scia rossastra e nera. Smise di tirare, come
se non avesse piú forza, come se volesse raccoglierla e
riservarla per qualcos'altro, e infatti piegò in avanti il
collo e sputò un ringhio duro come un colpo di tosse.*

– Pit bull! – gridò, – Pit bull!

*Il brigadiere Carrone pensò che nella macchina do-
veva esserci un cane, sul sedile di dietro o chiuso nel
bagagliaio, e voltò la testa verso il telaio annerito che
bruciava, gonfiato da rovi di fiamme furibonde, e pensò anche che se davvero c'era stato un cane a quest'ora
chissà com'era, poveraccio, ma l'uomo ricominciò a
tirarlo per la bandoliera, come se si fosse accorto di ciò
che stava immaginando, e non fosse quella la cosa che
voleva dirgli, non quella. Allora il brigadiere Carrone
lo guardò e pensò che per quanto orrore potesse fargli,
un uomo che cerca di parlare anche quando sta morendo bruciato e senza gambe va ascoltato, cosí smise
di tenersi e si lasciò tirare contro quella bocca, tanto
da sbattergli con la guancia sui denti.*

*Ascoltò un raschiare spezzato e secco, che fece
molta fatica a capire. Talmente assorto da non accorgersi che i barellieri erano arrivati, e uno lo aveva
preso per le spalle, cercando di toglierlo dall'uomo.*

*– Alt! – disse il brigadiere. – Alt! – ripeté, allar-
gando le braccia per allontanare l'infermiere che gli
stava addosso.*

– Come alt? – disse uno dei due. – In che senso?

– *Nel senso che state fermi un minuto,* – *disse il brigadiere. Aveva infilato una mano nell'apertura della giacca, sotto la bandoliera insanguinata, per cercare penna e taccuino.*

– *Siete testimoni tutti e due,* – *disse facendo scattare il pulsante della biro.* – *Verbalizziamo.*

Ci sono certi silenzi pieni di rumori che si annullano a vicenda. È quando i rumori diventano indifferenti e cosí costanti e monotoni da non colpire piú l'attenzione. Certi fruscii, certi ronzii sottili, come quello di un'autoradio fuori sintonia chissà da quanto tempo, che non prende piú niente, e che all'inizio graffiava le orecchie, e poi era come se avesse grattato cosí tanto il fondo del timpano da renderlo insensibile, come anestetizzato. O il ribollire piatto e sordo del motore della macchina, fermo chissà da quanto tempo alla stessa velocità e alla stessa marcia, anche se c'era un cuscinetto, nella ruota di dietro, che prima spezzava ogni tanto quell'ansimare compatto con un sospiro piú acuto, e che adesso era diventato soltanto un'altra nota indifferente, coerentemente dissonante, cosí monotona che non esisteva piú.

Chissà da quanto tempo.

Dalle griglie d'aerazione entrava un soffio d'aria notturna, afono come un sospiro a bocca aperta, e anche quello si fondeva, si confondeva con il silenzio rumoroso e spesso che riempiva l'abitacolo dell'auto di Vittorio, tutto lo spazio che c'era tra i finestrini, il pavimento e il tetto. Gli si schiacciava addosso, era uno stampo di mercurio nero che gli scivolava dentro i vestiti, sulla pelle, e gli entrava nel naso e nelle orecchie, liquido e sottile, fino a riempirgli lo spazio tra le pieghe del cervello.

Pensò: devo far revisionare l'auto.

Le parole gli risuonarono nella testa, chiare e rotonde. Pizzicarono, addirittura, in gola, sul fondo della lingua, premettero forte sulla laringe quando le arrotolò, mute e schioccarono, sonore e senza voce, contro il palato.

Ci sono certi silenzi in cui le parole non dette suonano piú forte. Non era solo per l'assenza di rumore intorno, o perché il silenzio della solitudine gli avesse sigillato insieme labbra, lingua e gola e giú, fino allo stomaco, come un tubo inutile e pieno. Era una questione di luce. D'inverno, ci sono certe mattine brillanti di ghiaccio in cui un grido può essere piú acuto e piú veloce che in un giorno di nebbia. D'estate, poi, ci sono certe giornate col cielo cosí limpido che sembra di arrivare con lo sguardo fino all'altra parte del mondo e non c'è ragione perché il suono non possa fare lo stesso. E sul mare, quando c'è il sole radente sull'acqua, sulla spiaggia arrivano anche le voci delle barche lontane, quasi corrano sul riverbero, saltando come i sassi lanciati di piatto sulle onde. Con le voci senza suono, invece, con le parole dei pensieri, è il contrario.

Per quelle ci vuole il buio.

Il buio in autostrada.

Di notte, l'autostrada è nera. Se non ci fossero stati i fari delle auto a illuminarla, sarebbe stata immobile e scura come un lunghissimo animale addormentato, con appena la linea di mezzeria piú chiara, come una fila di vertebre in rilievo sotto la pelle. Se non ci fossero stati i suoi fari a farla scintillare lontana davanti al muso dell'auto, soprattutto adesso che aveva appena piovuto, se non ci fossero stati loro a riflettersi rossi e gialli sui cata-rifrangenti del guardrail, e i led dell'autoradio a graffiare, elettrici e verdi, il buio dell'abitacolo, ri-schiarato attorno alle sue mani sul volante dalla lu-ce pallida del cruscotto, se non ci fosse stata la spia della riserva che lampeggiava arancione all'angolo del suo occhio sinistro quando imboccava una cur-va, tutto sarebbe stato nero, lui, l'interno dell'au-to, la strada, l'aria, il cielo, anche il mare quando ci passava accanto. Perché non brillava di luce pro-pria, l'autostrada. Come la luna.

Era in quella strana penombra lucida, ronzan-te e appena illuminata che i pensieri, i suoi pen-sieri, si sentivano più forte.

Pensò: ho bisogno di un caffè.

Gli venne in mente appena vide il segnale qua-drato dell'area di servizio, «Agip mt. 500», e ral-lentò di colpo, lanciando solo dopo un'occhiata al-lo specchietto retrovisore, per vedere se dietro ave-va qualcuno. Ce l'aveva, due fari, non così vicini da tamponarlo ma abbastanza da fargli mettere la freccia per il senso di colpa. Scivolò nella corsia d'ingresso dell'autogrill e intanto sganciò la cin-tura di sicurezza, che gli salì fino alla spalla, con uno schiocco. Il parcheggio era piccolo ma vuoto, così allargò per evitare il rettangolo giallo riserva-to ai portatori di handicap e si fermò, attento a non grattare col fondo del muso sul gradino rial-zato del marciapiede. Poi, spense il motore e solo allora Vittorio si accorse dell'uomo.

Era sulla trentina e sorrideva, avvicinandosi, con una mano infilata sotto il giubbotto di jeans, sul petto. Aveva alzato un dito, agitandolo in aria come per richiamare la sua attenzione, poi aveva indicato il giubbotto, toccando la stoffa sulla mano nascosta, e aveva sorriso ancora di piú, piú ammiccante. Vittorio aveva già aperto la portiera, e scuoteva la testa. Aveva staccato il cellulare dal viva voce sotto il cruscotto ed era pronto a fargli vedere che ce l'aveva già un telefonino, grazie, ma l'uomo aveva allargato il braccio libero e aveva sostituito il sorriso con un'espressione esageratamente desolata, quasi offesa, aprendo anche il resto della mano e sollevandola a mezz'aria. Poi aveva sorriso di nuovo e alzato il dito, come prima, pronto a ricominciare, a continuare, finché uno dei due non avesse ceduto.

Vittorio sospirò. Stava per uscire dalla macchina e dirgli qualcosa, anche se ancora non sapeva cosa, quando l'uomo gli mise la mano libera su una spalla e lo spinse dentro, mentre toglieva l'altra da sotto il giubbotto. Gli schiacciò sulla guancia la lama di un coltello a scatto, fredda e spigolosa, la punta che gli pizzicava l'angolo del sopracciglio. Vittorio trattenne il fiato, premendo la nuca contro il poggiatesta. L'uomo lo prese per la cravatta, girandola un paio di volte attorno alla mano per tenerlo piú stretto, e si infilò per metà dentro l'abitacolo.

Non ti muovere. Grida e te lo pianto in un occhio.

Vittorio non si mosse. Non gridò. Rimase fermo, evitando di guardarlo. Sotto la giacca, agganciata alla cintura, aveva una pistola, ma non si sognava neppure di toccarla. Allungò una mano e sfiorò la valigetta del campionario che teneva sul sedile accanto, ma l'uomo schiacciò ancora di piú il coltello. Vittorio premette piú a fondo contro la pelle del poggiatesta. Dallo specchietto laterale po-

teva vedere l'auto che lo seguiva quando era entrato nell'autogrill. Era accanto alla sua, in moto, con
lo sportello del passeggero aperto e un uomo al volante, che li guardava. Quello col coltello liberò la
mano dalla cravatta, si sporse su di lui e si allungò
a prendere la valigetta col campionario. Vittorio
pensò che doveva mostrare piú paura, che non sembrava ne avesse abbastanza.

Per favore. Per favore, non mi faccia niente. E
socchiuse gli occhi, perché a chiuderli del tutto non
si fidava.

Stronzetto. Testa di cazzo. Io li odio i fighetti
stronzi come te.

Nel tirarla fuori piantò uno spigolo della valigetta dietro lo zigomo di Vittorio, strappandogli
un gemito. Vittorio strinse forte i denti per rimanere fermo e non tagliarsi la faccia col coltello. Gli
occhi cominciarono a lacrimargli e dovette chiuderli per forza.

Sta fermo lí. Aspetta che siamo andati via e poi
esci dalla macchina. Attento a quello che raccon-
ti. So il giro che fai e ti ribecco quando voglio. È
un sacco che ti teniamo d'occhio, stronzo.

Vittorio aprí le palpebre, d'istinto, e vide l'uomo muoversi dietro un velo lucido. Il coltello si era
staccato dalla sua faccia, ma la sensazione fredda
c'era ancora.

Pensò: ti teniamo d'occhio.

Gli bastò sbattere le palpebre una volta per
asciugarle. Vide la faccia dell'uomo allontanarsi, le
spalle sfilare oltre lo sportello e girarsi, mostran-
dogli la schiena. Vittorio aveva una pistola, sotto
la giacca, ma non si sognò neanche di toccarla.

Pensò: ti teniamo d'occhio, stronzo.

Lanciò un'occhiata all'autogrill, attraverso il

parabrezza. Da lí dentro quell'angolo di parcheggio non si poteva vedere. Abbassò gli occhi e vide la costola verde di un Tuttocittà nella tasca della portiera semiaperta. Lo prese, scivolando fuori dall'auto e intanto infilò una mano nella tasca posteriore dei pantaloni, a grattare la guancetta di legno dello stiletto a serramanico che gli era sceso sotto il portafoglio. Lo aprí, e appena l'uomo cominciò a voltarsi perché lo aveva sentito, Vittorio glielo piantò in gola, di punta, preciso sulla giugulare, dentro e fuori, e alzò il Tuttocittà, perché il sangue non gli schizzasse in faccia.

Mentre si infilava nella macchina in moto, scivolando sul sedile verso l'altro uomo, già pensava a cosa avrebbe dovuto raccontare a sua madre, il mattino dopo, per giustificare il livido che gli si stava allargando, pesante, dietro lo zigomo.

Mi sono innamorato di te... perché non avevo niente da fare...

Quanto si può rimanere fermi, immobili, seduti su una poltroncina girevole, le gambe allungate sul tavolo, la fronte appoggiata a una mano e gli occhi chiusi? Quanto tempo prima che miliardi di formiche invisibili comincino a mangiarti le cosce irrigidite, prima che il gomito appiattito sul bracciolo si metta a sparare fitte elettriche su per il braccio? Prima che il bordo del tavolo inizi a tagliare le caviglie? Quanto tempo si può rimanere cosí? Tutta la vita? Si può tutta la vita?

Mi sono innamorato di te... perché non potevo piú stare solo...

Il Morbido, dalla porta alle mie spalle, piú sfinito che incazzato: – Alex, senti un po', tre cose. Primo: non ne posso piú di questa roba. Lo sai perché l'ascolti? Eh? Lo sai?

Io: – Perché è bella.

Lui: – No, perché è triste, e siccome sei triste anche tu è tutto il giorno che continui a far girare lo stesso Cd. Io invece no, io mi sento allegro, guarda un po', e ho anche un esame fra due giorni, quindi abbassa perché devo studiare. Secondo...

Ed ora, che avrei mille cose da fare... io sento i miei sogni svanire...

– ...questa settimana dobbiamo pagare l'affitto alla signora, per cui non è che voglio farmi i cazzi degli altri, ma dato che i tuoi ti mandano i soldi soltanto se ricominci a dare gli esami, sarebbe meglio che anche tu ti mettessi a studiare. Terzo: il Problema. Deve andarsene subito, va bene? Subito, cioè ora, oggi. E già che ci sono... continuano a non essere cazzi miei, però secondo me fai male a stare cosí per quella là. C'è un limite a tutto, Alex. Non era poi cosí speciale. La vita continua.

L'ultima l'ha detta piú solidale che sfinito, quasi triste, e anche se non mi muovo ancora, non prima che se ne sia andato e abbia richiuso la porta, so già che staccherò le caviglie dal tavolo e che zoppicherò fino allo stereo, divorato vivo da armate di formiche impazzite che mi fanno aggrappare alla testata del letto come un paraplegico colpito da un fulmine. Prima però, aspetto che il brano finisca. Un po' per non dargliela vinta cosí subito. E un po' perché non è vero.

Mi sono innamorato di te... e adesso non so neppur io cosa fare... il giorno mi pento di averti incontrata, la notte ti vengo a cercare.

Non è vero che ascolto questa roba solo perché è triste. Tenco mi piace davvero. Va bene, ora mi piace soprattutto perché parla di amori finiti ma non è solo per quello, la prova è che appena sto per spegnere tutto lo sguardo mi cade sul retro del Cd che sta sullo stereo, sulla lista dei brani, e ne vedo uno che non c'entra niente con l'amore, ma che è bello lo stesso, cosí lo punto sul lettore, aspetto che appaia il suo numero sul display e lo faccio partire. Poi, per non far incazzare il Morbido, che in fondo ha ragione, abbasso il volume quasi al minimo e mi siedo per terra, con la testa appoggiata a una cassa.

Inizia subito, dal silenzio compatto dei solchi invisibili del Cd. È un arpeggio di chitarra che sale e scende, lento e dolcemente ipnotico, appena trattenuto a metà, come se volesse tornare indietro, e appena sbavato da una nota più bassa alla fine, che diventa l'inizio dell'arpeggio successivo, identico, sempre quello, malinconico e dolce, sempre quello, fino alla fine del brano.

Non è vero che ci sono solo i soldi dei miei. Io lavoro. Faccio un lavoro del cazzo ma lavoro. Sto in un Internet provider di quelli che dànno l'accesso gratis più una serie di servizi. Sede di Bologna. Sono uno dei tizi che controlla la posta elettronica, sto attento che non ci siano virus, che gli utenti non facciano casino, che le password funzionino. Sono una specie di portiere virtuale, un portiere di notte, perché è soprattutto di notte che lavoro, spesso da casa. Almeno in questo periodo.

Quasi a metà del terzo arpeggio Tenco inizia a cantare. Non lo fa con tristezza, anche se le parole che dice sono tra le più strazianti che abbia mai sentito.

Un giorno dopo l'altro... il tempo se ne va... Le strade sempre uguali... le stesse case.

Guadagno novecentomila lire al mese. Non sono tante, ma non faccio neanche un granché, mi collego qualche ora al giorno, faccio quello che devo fare e basta. Quando arrivavano i soldi dei miei era grassa, ma ora che da lí ci devo tirare fuori anche le seicentomila della stanza è un po' un casino. Lo stereo che sto ascoltando, con le Pioneer alte mezzo metro a cui sto appoggiato, è la penultima cosa che sono riuscito a comprare con lo stipendio. Informatica Uno è stato anche l'ultimo esame che ho dato quest'anno. Da allora, dai miei, soltanto minacce e cazziatoni per telefono.

Non è vero neanche che Kristíne non sia cosí speciale... e non solo perché sono sicuro che una ragazza cosí bella non l'avrò mai piú. Va bene, forse sono io che la vedo cosí adesso, e probabilmente prima o poi mi passerà e cambierò idea, ma io sto male ora e di quello che succederà poi, adesso, non me ne frega un cazzo.

L'unica cosa vera di tutto quello che ha detto il Morbido è il Problema. È l'ultimo acquisto che ho fatto con lo stipendio, anche se non avrei potuto permettermelo. Ma Kristíne lo aveva visto a casa di Ivan, a saltare contro la rete assieme agli altri cuccioli, e Ivan ha avuto la brutta idea di dire che cani come quelli sono sfortunati, perché se cascano nelle mani sbagliate diventano cattivi e finiscono per farsi sbranare nei combattimenti organizzati, e invece per natura sarebbero cosí dolci. Mi è costato quattro carte da cento, e in effetti dolce lo è, sempre addormentato nella sua cassa in bagno, anche se brutto, dio santo, con quel muso appuntito come quello di un topo e gli occhi piccoli e distanti, quasi ai lati della fronte. Non ho fatto in tempo a regalarglielo, a Kristíne. E qui non può stare.

E gli occhi intorno cercano quell'avvenire che avevano sognato...

C'è un momento, in questo brano, in cui la voce di Tenco si spezza. Fino allora aveva cantato con quel modo che ha lui di farlo, con la voce che sembra uscirgli dal fondo della gola e passare attraverso il fumo di una boccata di sigaretta appena tirata e rimanere comunque densa e morbida. Si poteva pensare che fosse perplesso, assorto, malinconico forse, con lo sguardo perso nel vuoto e magari gli occhi un po' socchiusi, tirati agli angoli, e invece lí no, lí la voce gli si spezza, scivola piú in fondo, piú roca e fa capire quello che veramente è. Non è pensoso, è disperato.

Ma i sogni sono ancora sogni e l'avvenire è ormai quasi passato.

All'improvviso devo stringere le labbra, perché gli angoli della bocca mi si piegano verso il mento e cominciano a tremare. Devo tirare su col naso perché non riesco a respirare, e lo faccio a scatti, a singhiozzi che mi fanno male. Devo prendermi il volto tra le mani e chiudere gli occhi, anche se non ne esce niente, solo questa smorfia che mi strazia la faccia, devo aprire la bocca e coprirla con le dita perché il Morbido, di là, non senta questo gemito lungo che mi scivola fuori dalle labbra, e tanto stringo le palpebre che alla fine le lacrime arrivano, e fanno male anche quelle.

Ho paura.

Ho paura perché mi sento vuoto. Perché mi sento stanco. Perché mi sembra di non combinare niente. Perché ho ventitre anni ma mi sento come se ne avessi duemila.

Ho paura perché penso che tutto questo c'entri poco o niente con Kristíne. Che sia cosí perché è cosí e basta. Senza scampo.

Un giorno dopo l'altro.

Grazia si svegliò con la sensazione di aver mormorato qualcosa, qualcosa di sconosciuto che le era sparito tra le labbra socchiuse assieme a un sospiro corto come un singhiozzo, mentre apriva gli occhi, senza vedere niente. Lo scatto che fece per alzare la testa fu poco piú di una contrazione, ma bastò a irrigidirle il collo con una fitta pungente, dietro la nuca. Richiuse gli occhi con un altro sospiro, corto anche questo ma languido, a metà tra una protesta e un desiderio, e cercò di tirare le ginocchia verso il petto, sollevando le spalle e piegando la schiena, scavando con una mano dietro il dorso dell'altra, per raggiungerla sotto la guancia. Se fosse stata a letto, nel suo letto, in mutandine e reggiseno, non ci sarebbe stato nulla che avrebbe potuto impedirle di scivolare di nuovo nel sonno come un biscotto in un bicchiere di latte caldo, ma lí, con la stoffa dei jeans che tirava dietro le ginocchia e la spugna calda dei tubolari che strisciavano assieme, si svegliò del tutto, pienamente cosciente all'improvviso di dov'era e come stava. Era sdraiata su un fianco, rannicchiata come un feto e mezza vestita, accucciata dentro una brandina da campo al centro di una stanza umida e vuota, sotto una mansarda. Si era tolta il giubbotto e le scarpe da ginnastica ma si era dimenticata di levarsi l'orologio, che doveva averle scavato un segno sulla tempia, a forma di sette e anche profondo, a giudicare dal bruciore. E sí, probabilmente sí, aveva detto qualcosa.

Grazia si sollevò a sedere sulla brandina e rimase per un attimo ancora immobile, curva in avanti, le braccia incrociate sul petto e appoggiate alle ginocchia, gli occhi socchiusi fissi su un punto qualunque del muro che cominciava a sfocarsi in un vuoto formicolante e grigio, pericolosamente ipnotico. Se fosse rimasta ferma ancora un po' sarebbe scivolata su un fianco e si sarebbe riaddormentata, cosí scosse la testa, si passò le mani sul volto e tra i capelli, inarcò la schiena raddrizzandosi la maglietta che le era girata attorno, legandola nel sonno, e si alzò. Si fermò sulla soglia dell'altra stanza, contro lo stipite, un piede sollevato e appoggiato a un ginocchio per grattarsi con lento sollievo il segno duro a forma di cingolo che la trama di un calzino le aveva lasciato a pizzicare su una caviglia.

– Era ora, cazzo, – disse il sovrintendente Sarrina, sfilandosi le cuffie. – Ho diritto di dormire anch'io, no?

– Mmm... – mormorò Grazia. Si staccò dallo stipite della porta e tornò alla brandina, a recuperare le scarpe da ginnastica e la pistola che aveva lasciato sul pavimento. Quasi sulla soglia si fermò a metà passo, con la gamba alzata dietro come una ballerina di liscio, per far passare Sarrina che la stava attraversando dritto e deciso. Sedette sullo sgabello davanti al tavolo con l'apparecchiatura d'ascolto e appoggiò le scarpe sul piano di legno, pensando che la situazione odori non sarebbe cambiata di molto. Da tre giorni stavano chiusi nelle due stanze sottotetto, senza vestiti di ricambio e con poco piú di un lavandino per lavarsi, e per quanto legassero stretti nei sacchetti i resti dei panini di quello che rimaneva su quando gli altri due scendevano a mangiare al bar, l'odore di spazzatura cominciava a sentirsi, a strisciare lento verso di loro sotto quello piú spesso di cenere e fumo vecchio. Anche l'ispettore Matera fumava, come Sarrina, e una volta aveva anche tirato fuori un sigaro, accontentandosi per adesso di tenerlo tra le dita e di stringerlo ogni tanto con i polpastrelli. Ma non avrebbe resistito a lungo, già aveva cominciato a dire che era cubano e non puzzava come gli altri.

Grazia si infilò le cuffie, aggiustandosi il ferretto di sostegno dietro la nuca, ma il microfono nascosto nel palazzo di fronte le soffiò nelle orecchie soltanto un silenzio ronzante e pieno, quasi addormentato. Se le tolse, stringendosi nelle spalle.

– Chi mi ha svegliato? – chiese a Matera, che teneva gli occhi chiusi e le mani incrociate sulla pancia, la sedia inclinata all'indietro fino ad appoggiarsi alla mensola con lo schienale.

– Io, – disse Matera, senza aprire gli occhi.

– Ho detto qualcosa?

– Sí, – disse Sarrina, dall'altra stanza, – «Basta, amore, mi hai spompato».

Matera sorrise, sempre a occhi chiusi. Grazia prese un bicchierino di plastica dal tavolo e lo gettò oltre l'angolo della soglia, dove c'era la brandina, ma era troppo leggero e finí a rotolare sul pavimento.

– No, davvero... cos'ho detto?

– Hai detto «Simo', statti fermo per piacere». Giuro.

Grazia annuí. Cercò un altro bicchierino di plastica sul tavolo, ne trovò uno e ci guardò dentro.

Sul fondo c'era un anello scuro e granuloso di caffè, un po' troppo rappreso per essere riciclabile, anche in quelle condizioni. Ma il thermos con i bicchierini nuovi era sul davanzale, accanto al cavalletto con la videocamera, e sembrava cosí lontano. Matera aprí gli occhi e la vide, le labbra strette e spinte in avanti, come una bambina, una piega sottile, contratta e infastidita, tra le sopracciglia marcate e folte. Allungò una mano verso di lei, ma Grazia si era già alzata.

– Sta lí, – disse, – che se ti muovi cadi e ti ammazzi. Me lo prendo da sola.

Tornando indietro, mentre girava l'assicella di plastica trasparente nel bicchierino appena intiepidito dal caffè, si chinò sulla videocamera, chiudendo un occhio per guardarci dentro. Ingrandito dallo zoom, segnato a croce da due sottili linee graduate, il portone del palazzo di fronte era ancora immobile, grigio e chiuso, incassato in una brutta cornice di vetrocemento che rifletteva la luce sporca delle sei e mezzo del mattino. Stava per bere quando si accorse che il *timecode* segnava piú di quando era andata a dormire.

– Cos'è successo? – chiese a Matera.

– Niente. Un ragazzo che è tornato a casa ieri sera e un tizio che è andato a lavorare questa mattina. È un palazzo abitato, quello, non c'è soltanto lui.

Grazia corrugò la fronte, stringendo di nuovo le labbra. Indicò le cuffie sul tavolo e aprí la bocca, ma Matera la precedette, come le avesse letto nel pensiero.

– No. Il ragazzo non è salito al terzo piano. Piú su, al quarto o al quinto. E per tutta la notte non ci sono stati rumori strani. Abbiamo tenuto le cuffie quasi sempre... e poi è tutto registrato.

Grazia guardò il blocco dell'apparecchio d'ascolto, la facciata cromata come quella di uno stereo hi-
fi, le manopole per regolare i livelli, il nastro da 120
che girava dietro lo sportellino del registratore e
l'antenna, collegata con la trasmittente. L'avevano
piantata tre giorni prima nel muro dell'appartamento che si appoggiava sulla tromba dell'ascensore, bloccando la cabina al secondo piano e salendo
sul tetto attraverso la botola di soccorso. I palazzi
come quello avevano le pareti di carta velina, e tolto il ronzio vibrante di quando passava l'ascensore, si riusciva a sentire tutto, dal corridoio d'ingresso fin quasi alla camera da letto.

– Secondo te lo sa che ci siamo? – chiese Matera.

– No, – disse Grazia. – Se fossimo a Palermo sí,
ma qui a Bologna no. Non controlla abbastanza il
territorio per sapere che ci sono estranei... almeno
finché ce ne restiamo chiusi qui dentro.

– Sarà... ma continua a sembrarmi una cazzata, ispettore Negro. Se Jimmy Barracu è là dentro
perché non andiamo a prenderlo?

Grazia sospirò e tornò a sedersi. Il caffè si era
ghiacciato del tutto e le lasciò un sapore freddo,
come di ferro, dietro la lingua. Rabbrividí, stringendosi nelle spalle e quando strisciò assieme la
stoffa ruvida dei tubolari si ricordò che era ancora scalza.

– Pure a me mi sembrava una cazzata, – disse
tirando su le ginocchia per infilarsi le scarpe, – poi
il dottor Carlisi me l'ha spiegato bene. Dice che
quando prendiamo Jimmy il magistrato vuole che
gli sbattiamo in faccia le foto di quelli che sono andati a trovarlo, le registrazioni di tutto quello che
ha detto, pure i sospiri di quando faceva l'amore

con la moglie. Cosí pensa che non è un caso se lo abbiamo preso, che tanto non ci può scappare e finisce che si pente. Cioè... che collabora. Insomma, che parla.

Voltò le spalle all'espressione dubbiosa di Matera e si infilò le cuffie, sistemandosi gli auricolari sulle orecchie. Se non fosse stato per il calore della gommapiuma e per il ronzio opaco di un'interferenza sarebbe stato come non averle. Mimmo 'u fascista, la guardia del corpo di Jimmy Barracu, dormiva nella stanza proprio dietro il muro dell'ascensore, Jimmy e la moglie dormivano nella camera in fondo al corridoio e non si svegliava mai nessuno prima delle dieci, a parte la donna che puntava la sveglia alle sette per prendere una medicina e tornava subito a letto. Proprio seguendo la moglie lo avevano trovato. Le erano stati dietro per mezza Italia, Grazia le era stata dietro, da Palermo a Bologna, e adesso erano lí, in quella mansarda requisita a uno studente, ad ascoltarli dormire.

Grazia si portò le mani alle orecchie, premendo sulle cuffie, e si sporse in avanti, verso l'apparecchio d'ascolto, come se i suoni dell'appartamento venissero davvero da lí. C'era qualcosa che non andava, e lo disse, con un sussurro, piú a se stessa che a Matera, che aveva di nuovo chiuso gli occhi.

– C'è qualcosa che non va.

– Come hai detto?

– C'è qualcosa che non va. C'è troppo silenzio.

– Dormono tutti.

– Appunto. Non russa nessuno.

Mimmo 'u fascista dormiva proprio sotto il microfono che avevano installato. Grazia se lo ricordava il suo grugnito cattivo, che sembrava strisciare e premere impigliato contro i denti, poi schioccare all'improvviso. Non c'era, nel silenzio ronzante quel grugnito non c'era e non c'era neppure il respiro nasale della moglie di Jimmy, lontano ma forte, cosí forte che veniva da chiedersi come facesse lui a dormirle accanto. Grazia guardò la finestra.

– No, – disse Matera. – Non è uscito nessuno. Ce ne saremo accorti e poi avremmo sentito il rumore.

C'era un cellulare sul tavolo. Grazia lo spinse verso Matera.

– Chiama il dottor Carlisi. Digli un po' 'sta cosa.

– A quest'ora? Per dirgli che non stiamo sentendo niente? Quello s'incazza...

Grazia allungò un braccio e fece *aspetta aspetta* con la mano. Guardò l'orologio, che segnava le sei e cinquantanove, poi chiuse gli occhi e si schiacciò le palme delle mani sugli auricolari, spingendosi ancora piú in avanti col busto, come per infilare la testa in quel silenzio frusciante che le riempiva le orecchie. Le sembrava quasi di annusarlo, caldo e grigio come l'odore del registratore che le girava davanti, sgranato e cosparso di puntini luminosi se stringeva ancora di piú gli occhi. Attese. Trattenne il fiato, per sentire meglio, e attese. Attese.

Sobbalzò quando lo squittio elettronico della sveglia arrivò fino a lei dalla stanza in fondo al corridoio, isterico e intermittente, tre note e una pausa, tre note e una pausa, tanto acuto da ferirle le orecchie. Poi smise. Forse qualcuno lo aveva spento, e Grazia immaginò il braccio della moglie di Jimmy che si allunga verso la sveglia, le dita che cercano nell'aria, poi un sospiro assonnato, i tonfi strascicati delle ciabatte sul pavimento del corridoio, fino in cucina, fino al cassetto delle medicine.

E invece no. Di nuovo, dopo i venti secondi di pausa programmata, il gemito acuto della sveglia, ancora piú isterico, ancora piú insistente.

– È successo qualcosa, – disse Grazia sfilandosi le cuffie. – Chiama il dottore. Entriamo.

Incontrarono una donna sulla porta del palazzo, che appena li vide, armati e di corsa attraverso la strada, si schiacciò contro lo stipite, lasciando cadere la borsa.

– Non chiuda! – gridò Grazia. – Polizia!

Entrarono nell'androne e si lanciarono su per le scale, Matera piú indietro, ansimando per l'età e per la pancia, Sarrina con la pistola nella sinistra per aggrapparsi con la destra al corrimano e Grazia con la mitraglietta, la placca davanti del giubbotto antiproiettile ancora slacciato che le sbatteva sulla pancia a ogni gradino.

Al terzo piano c'era un pianerottolo quadrato con due porte. Si fermarono con le spalle alla prima, che si aprí, qualcuno disse «Ma che c'è? Oddio, mamma!», e Matera non fece in tempo a voltarsi che si era già richiusa.

La porta di Jimmy era la seconda. La guardavano tutti e tre e la guardavano male, trattenendo il respiro tra i denti. Perché non era chiusa.

– Cazzo, non possono essere usciti! – ringhiò Sarrina. – C'è solo il portone di sotto... non possono esserci scappati!

Grazia gli fece cenno di stare zitto, con la mano. Era lei la piú alta in grado in quel turno di sorveglianza e l'idea che fosse successo qualcosa, l'idea che Jimmy fosse scappato, che fosse sua la colpa di aver mandato a puttane tutta l'operazio-

ne, le fece venire un'improvvisa, fortissima voglia
di piangere. Si sentí pungere le palpebre, e allora
strinse i denti, tirò le stringhe di velcro del giubbotto antiproiettile e aprí la porta, spingendola in
avanti con la canna della mitraglietta.

– Ohé bambina, piano! – mormorò Matera. – E
se c'è una bomba?

Non c'era una bomba. C'era un corridoio stretto, velato da una penombra grigia e granulosa.
C'erano tre porte sul corridoio e una in fondo,
squadrata a metà da un vetro traslucido. C'era ancora il segnale intermittente della sveglia, che continuava, ostinato. E c'era un odore strano, forte e
aspro, che le fece staccare una mano dalla mitraglietta, per schiacciare le dita sulla bocca. Era un
odore che conosceva. Era odore di morte.

Nella prima camera a destra, quella che dava
sulla tromba dell'ascensore, Mimmo 'u fascista era
steso sul letto, in mutande e canottiera. Chi gli
aveva tagliato la gola doveva avergli premuto sulla faccia un cuscino, che era ancora lí, storto e im-
macolato, nonostante il sangue che aveva inzup-
pato tutto, letto, mutande e canottiera, e anche il
lenzuolo avviluppato attorno alle gambe di Mimmo, che doveva aver scalciato a lungo prima di
morire.

Nell'ultima camera in fondo, di fianco alla porta a vetri, c'erano Jimmy e sua moglie, a letto, anche loro. Lei era a destra, le spalle nude che uscivano dal bordo del lenzuolo, un braccio fuori, a
penzolare verso il pavimento. Lui supino, a sinistra, una mano appoggiata alla curva del sedere di
lei, in rilievo sotto la coperta, l'altra agganciata al
lenzuolo, ma stretta, contratta, tanto che lo aveva
sfilato dal fondo, scoprendo un piede. Dovevano

avergli sparato, a tutti e due, in testa, e tanto, perché le teste, praticamente, non c'erano piú.

Grazia si appoggiò allo stipite della porta, abbassando la mitraglietta. L'odore, la vista e la sorpresa le avevano fatto passare la voglia di piangere, ma le tremavano le gambe. Entrò nella stanza ed evitando di guardare il letto fermò la sveglia premendo il pulsante col dorso della mano. Fu allora che lo vide, o meglio, lo sentí.

Un computer portatile che ronzava sul piano di un cassettone. Aveva lo schermo abbassato sulla tastiera e quando Grazia lo sollevò, piano, il logo della Microsoft cominciò a danzare da un angolo all'altro, rischiarando la penombra della stanza con la sua coda colorata. Grazia toccò il pulsante rosso del mouse incastrato tra i tasti e il salvaschermo scomparve.

Al suo posto, c'era la schermata di quello che sembrava un sito Internet dedicato ai cani, cosí colorato e luminoso che Grazia dovette distogliere lo sguardo, per un momento.

Quando tornò a voltarsi, si trovò di fronte un muso appuntito, chiazzato di marrone, che la fissava con gli occhi piccoli e distanti, quasi ai lati della fronte.

«American pit bull», diceva una scritta sotto la fotografia, «the most dangerous dog in the world».

Pit bull. Il cane piú pericoloso del mondo.

Devi sempre tagliarteli cosí corti i capelli, disse sua madre, allungando una mano.

Istintivamente Vittorio tirò indietro la testa e sempre istintivamente si bloccò, i muscoli del collo irrigiditi a inibire il movimento, perché lei potesse infilargli le dita nel ciuffo un po' piú lungo, che gli si piegava appena, biondo e chiaro, sulla fronte.

Te li ho fatti belli, i capelli... stavi bene quando li tenevi lunghi.

Aveva una carezza ruvida, sua madre. Mani piccole, sottili e ben curate, ma che sembravano piú pesanti di quanto fossero in realtà. Piú che toccare spingeva, premeva, come per assicurarsi che fosse ancora tutto lí, vicino e sotto le dita. Era una carezza che non sfiorava, spostava, e Vittorio tenne ancora rigidi i muscoli del collo finché non sentí sul cuoio capelluto il contatto duro e freddo che sua madre portava al dito, e quando la carezza tornò indietro e si asciugò come un'onda sulla sabbia, si strinse nelle spalle, indifferente.

Mi piacciono cosí.

Sua madre stava già pensando ad altro, alla bistecca che sfrigolava sulla piastra, alla forchetta da infilare nel punto giusto per staccarla e girarla dall'altra parte, al sale, al sangue che evaporava sul metallo rovente, perché da sempre era convinta che a Vittorio la carne piacesse ben cotta e lui non era riuscito a farle cambiare idea. Come non era mai riuscito a farla rimanere sul divano in salotto, a guardare la televisione, quando lui tornava alle dieci o alle undici di sera, ed era inutile le dicesse che a trent'anni una bistecca sapeva cuocerla da solo, perché tanto lei si alzava, lasciava il film a metà e veniva in cucina, e se lui insisteva perché tornasse di là diceva che si vedevano cosí poco, che lui non c'era mai e che quella era una buona occasione per parlare un po'. Anche se poi parlava quasi sempre lei, e Vittorio rispondeva appena.

Ecco qua, ben cotta, come piace a te. Tira su la testa, se no ti scotto il naso. Insalata o pomodori? Ti fa bene un po' di verdura, chissà cosa mangi quando sei in giro. Non lavori troppo? Mi sembri cosí stanco... non mi farai stare in pensiero? Allora, insalata o pomodori?

Pomodori.

Anche lui stava già pensando ad altro. Pensava a un naso, al naso di un vecchio che aveva notato quel pomeriggio. Riusciva anche a vederlo, mentre tagliava la carne bianca e stopposa per l'eccesso di cottura, fissando un punto qualunque tra i quadretti della tovaglia. Un naso rotto, con il setto abbassato, appiattito al centro e deviato appena, verso sinistra. Il naso di un uomo che ne aveva viste tante, e quasi tutte ostili, faticose e brutte.

Sua madre scostò una sedia e appoggiò le braccia al bordo del tavolo.

Senti? È la Festa dell'Unità, ma si è lamentata tutta la strada e adesso la tengono cosí bassa che da qui non si sente quasi. Vero che si sente pochissimo?

Sí. Si sente pochissimo.

Annalisa dice che ti chiama ma hai sempre il cellulare spento. Per me la trascuri quella ragazza lí, non la prenderai mica in giro? Quando la vedi? La vedi domani sera?

Sí. La vedo domani sera.

Sei a casa questa settimana? Se sei a casa potremmo andare a trovare papà. Papà quant'è che non lo vedi, un mese?

Sí. Sono a casa questa settimana.

Allora ci andiamo domani mattina? Non presto, ti lascio dormire. Va bene domani mattina?

Sí.

Hai finito qui? Ti tolgo il piatto?

Sí.

Mangia due pomodori che ti fanno bene.

Sí.

Torno a vedere il film. Lascia lí tutto che ci penso io domani mattina.

Sí.

Vittorio aspettò che sua madre fosse uscita dalla cucina, poi si versò nel piatto tre spicchi di pomodoro, ne mangiò uno, ne lasciò un altro infilato nella forchetta e si alzò da tavola.

Vai nella cameretta? gridò sua madre dal salotto. Non fare tardi che sei stanco.

Vittorio non rispose. Attraversò il corridoio al buio e salí le scale che portavano al piano di sopra. La luce bluastra e intermittente del televisore gli permise di contare i gradini di legno anche senza doverne toccare l'alzata con la punta del piede, per controllare che il settimo scrocchiasse ancora, forte, come sempre. Anche il corridoio del piano di sopra era buio e lí la luce del televisore non arrivava, ma Vittorio lo conosceva troppo bene per non trovare la porta della sua camera. Della cameretta, come diceva sua madre.

Soltanto quando fu dentro, ed ebbe chiuso la porta, accese l'abat-jour sulla scrivania contro il muro, restando fermo in mezzo alla stanza finché gli occhi non si furono abituati alla penombra nuova, tanto da distinguere il crocifisso appeso sopra la testiera del letto, la formina di ceramica con l'angelo custode, il poster con le sagome illuminate dei grattacieli di New York e quello con le vele colorate dei windsurf. Pensò che sua madre aveva ragione, che i rumori e la musica della Festa dell'Unità si sentivano appena, anche se era soltanto a una strada di distanza, nel campo sportivo al bordo del quartiere residenziale in cui sorgeva il blocco di villette monofamiliari come la loro. Poi aprí uno dei due cassetti della scrivania e tirò fuori il modellino di un aeroplano di plastica, un Messerschmitt 262 della seconda guerra mondiale, marca Airfix, scala 1:150. Lo appoggiò sul piano di legno smaltato, la fusoliera scoperta, la carlinga ancora da montare, inclinato al punto giusto per infilarci dentro il pilota con le pinzette da ciglia dalla punta lunga, che mise accanto al modellino assieme alla colla a presa rapida, ai morsetti e alla lima per grattare via gli avanzi di cottura dai bordi dei pezzi di plastica dell'aeroplano. Poi spinse tutto in un angolo della scrivania. In tasca aveva una chiave con cui aprí l'altro cassetto. Tirò fuori una scatola di legno, la spalancò sotto la luce dell'abat-jour e restò a guardare il naso.

Non era come lo voleva. Non era quello che gli serviva, non ancora. Lo tolse dalla scatola, sfilando la pellicola elastica di lattice da un grosso calco di gesso, e lo infilò sul suo, lisciandone i bordi sugli zigomi e tenendolo con la punta di un dito sull'attaccatura tra gli occhi, per non farlo cadere.

Aderiva alla perfezione. Anche le cannucce piantate nel lattice, perché non aveva ancora aperto del tutto i buchi delle narici, si inserivano direttamente nelle sue, come se quella grossa protuberanza biancastra gli fosse cresciuta da sola sul viso. Ma non era quello giusto, non ancora.

Prese il calco di gesso e lo infilò nella guaina di lattice, tenendolo saldo tra le dita. Strappò un pizzico di plastilina dal blocco che teneva nella scatola, lo ammorbidí tra i polpastrelli, girandolo e rigirandolo, e lo appiccicò a metà della linea del setto, schiacciandolo e modellandolo con il pollice. Con l'unghia grattò dal blocco un altro ricciolo di plastilina, una virgola minuscola, quasi invisibile, e lo attaccò sulla sinistra del setto, proprio dove finiva il rigonfiamento.

Sollevò il naso, il pollice e l'indice appoggiati ai lati delle narici, il gomito puntato sul piano della scrivania, chiuse un occhio e rimase a osservarlo a lungo, sotto la luce della lampada. Era perfetto. Le parti nuove erano in armonia con le linee disarmoniche del calco e soltanto il contrasto tra il grigio scuro della plastilina e il bianco opaco del lattice rivelava che erano aggiunte posticce su un naso posticcio. Adesso sarebbe bastato coprirlo di nuovo di gesso, per ottenere uno stampo uniforme da riempire di lattice attraverso gli spazi canalizzati fino a ottenere la giusta densità, il giusto spessore. E avere un naso, il naso di un vecchio, ingrossato dall'età, gonfiato e deformato, spezzato dalla vita.

Fuori dalla sua stanza, oltre la porta, sulla scala, il settimo gradino scrocchiò forte, come sempre. Vittorio appoggiò il naso del vecchio nella scatola di legno e tirò verso di sé il modellino dell'aeroplano. Da tempo sua madre non entrava piú nella camera di Vittorio, nella cameretta, all'improvviso e senza chiedere permesso, ma lui era convinto che ripetere sempre, continuamente e ogni volta i gesti della sua routine di difesa servisse comunque a mantenere alta la soglia dell'attenzione.

Sua madre, dal corridoio: vado a letto. Non fare tanto tardi che sei stanco.

Attese di sentire la porta della camera della madre che si chiudeva, poi sfilò la pellicola di lattice dal calco, spalmò uno strato sottile di mastice sul bordo del naso del vecchio, pochissimo, giusto perché aderisse alla pelle per un po' e stesse su da solo, e se lo infilò. C'era ancora qualcosa che mancava.

Cosí, con il respiro che fischiava nelle cannucce che uscivano dalle narici di gomma, prese un lungo gancio di metallo dall'armadio e aprí la botola che portava alla mansarda, tirando giú la scaletta pieghevole. Forse era per il soffitto troppo basso, o per le finestre strette quasi a livello del pavimento, ma non andava volentieri su nella mansarda, se non per lavori troppo rischiosi o compromettenti, come il silenziatore Brügger-Thomet modificato con l'aggiunta di uno strato assorbente di dischetti di feltro, presi dai filtri per l'aspirazione di un motore fuori bordo. Lo teneva sull'asse di una mensola, coperto da uno straccio, assieme alla Sig Sauer calibro 9, per la cui canna lo stava adattando. Però, da lí poteva aprire una delle finestre, mettersi a cavallo del davanzale con in mano un piccolo binocolo Swarovski, e osservare la Festa dell'Unità, fischiando piano nelle cannucce di plastica.

Da quel lato della casa la musica si sentiva piú forte. Sempre lontana, sempre distorta dal river-

bero delle case, confusa dalla distanza che tagliava gli alti e lasciava arrivare poco piú del pulsare
aggressivo dei bassi, ma abbastanza forte da farsi
distinguere. Subsonica, *Tutti i miei sbagli*.

Cercava un vecchio. Un vecchio giusto. Piegò
le ottiche del binocolo e regolò le viti zigrinate fino a ottenere un cerchio nitido e rotondo con cui
frugare tra la gente che si muoveva fitta nel campo sportivo. Lasciò la parte centrale, dove c'era il
concerto, perché era piena soltanto di giovani, passò veloce oltre la birreria e si fermò sullo stand ga-
stronomico, che sembrava funzionare ancora. Sentita cosí, lontana e completamente distaccata da
quello che inquadravano i cerchietti neri del binocolo, la musica sembrava ancora piú astratta,
quasi fuori sincrono, come guardare la televisione
senza volume ma tenendo accesa la radio.

Tu sai difendermi e farmi male
ammazzarmi e ricominciare
a prendermi vivo...
Sei tutti i miei sbagli...

Frugò tra i tavoli, cercò dietro il bancone di servizio, tra i fornelli all'aria aperta, ma non vide nulla che gli potesse servire. Poi, lo trovò. Si stava al-
zando da un tavolo, vicino al bancone. Aveva un
vassoio pieno di vaschette di plastica stretto in una
mano e con l'altra si stava sfilando, si stava strap-
pando quasi, un grembiule dai fianchi. All'angolo
della bocca, stringeva tra i denti uno stecchino di
legno, e Vittorio si segnò mentalmente questo particolare, per un'altra volta, perché adesso non gli
serviva. Sembrava un volontario dello stand che
avesse appena finito di mangiare dopo il suo turno di servizio ai tavoli, ma neanche questo interessava Vittorio, nonostante puntasse il cannoc-

chiale sui resti nei piatti sul vassoio, piú per curiosità e abitudine, che per necessità. Tortellini al ragú, salsiccia con polenta, mezzo di rosso e zuppa inglese. Niente acqua o caffè. Aspettava che si muovesse, perché quello che gli interessava era la sua andatura. La velocità, il ritmo dei suoi gesti, come gli avevano insegnato all'ultimo corso di recitazione. E finalmente li vide. Passi rapidi e duri, a scatti veloci che si chiudevano prima di spiegarsi del tutto, come trattenuti. Il modo di muovere il braccio libero, piegato, come per spingere nell'aria con il gomito, il modo di tenere il vassoio, dritto, saldo, ma con dita rigide e grosse, che piú che stringere reggevano, e anche il modo di voltare la testa verso il bancone, mezzo giro di rotazione sul collo, lineare e lento come la torretta di un carro armato. Un carro armato vecchio, un vecchio operaio, un vecchio artigiano o un vecchio contadino ancora pieno di energia ma con un corpo che non risponde piú, se non a scatti, e subito dopo arranca.

Tu affogando per respirare
imparando anche a sanguinare
nel giorno che sfugge...
Il tempo reale sei tu...
Pensò: un uomo cosí.

Dai movimenti cosí, con un naso come quello che aveva lui adesso. Pensò anche che un uomo con un naso come quello avrebbe fischiato respirando come faceva lui con le cannucce, e che avrebbe dovuto aprirli, i buchi nel lattice, ma non tanto, solo in superficie, per impedirsi di respirare bene, e con quel particolare in testa, cosí preciso, appoggiò la nuca allo stipite della finestra e sorrise, soddisfatto.

Tu il mio orgoglio che può aspettare
e anche quando c'è più dolore
non trovo un rimpianto
non riesco ad arrendermi
a tutti i miei sbagli...

Mancava una sedia. Sarrina si mosse per andarla a prendere, ma la porta dell'ufficio comunicante era sbarrata dal carrello con il televisore che ci avevano tirato contro. Allora fece per uscire, ma il dottor Carlisi ringhiò: – Basta, dài... non è il cinema, questo! – e Matera disse che in piedi ci stava lui, perché tanto gli faceva male la schiena. Si appoggiò al muro, con le mani congiunte dietro il sedere, e a quel punto Sarrina, che era già quasi dall'altra parte della stanza, non osò tornare indietro per raggiungere la sedia e rimase in piedi anche lui, vicino alla porta. Grazia era seduta su uno sgabello di metallo, sopra un faldone di carte giudiziarie, nell'angolo piú lontano dal commissario. Da lí non sarebbe riuscita a vedere bene l'immagine sullo schermo, velata dal riflesso che entrava dalla finestra, lo stesso che avevano cercato di eliminare spostando il carrello a favore del dottore. Ma con tutto quello che era successo dopo l'irruzione non era ancora riuscita a fare la doccia e si sentiva in imbarazzo a stare cosí vicino al suo dirigente. E in ogni caso, in quel momento era meglio starsene nascosti il piú possibile, cercando di farsi dimenticare.

– Del casino che avete fatto e delle sue conseguenze ne parliamo poi... – disse il commissario. Quindi zitti e sentite questo, perché è strano, strano parecchio. Sasà... accendi un po'.

L'ispettore Di Cara era arrivato da Palermo nel primo pomeriggio, ed era corso direttamente dall'aeroporto alla Mobile di Bologna, a esaminare i nastri e le videocassette registrate dalla mansarda davanti all'appartamento di Jimmy. Era rimasto chiuso lí, proprio nella stanza in cui si trovavano in quel momento, per piú di quattro ore. Quando si chinò sulla *console* che stava sul carrello, Grazia, Matera e Sarrina si piegarono verso il televisore, prima di accorgersi che l'ispettore aveva acceso soltanto l'impianto audio.

– In pratica, – disse, – possiamo sapere il momento esatto in cui sono avvenuti gli omicidi. Ecco, – alzò un dito verso uno dei due altoparlanti ai lati del carrello. – Tre e quarantasette, Mimmo 'u fascista.

Un sibilo trattenuto, un gorgoglio schiacciato e un fruscio rapido, subito immobile.

– Tre e cinquantasette e ventun secondi, gli altri due.

Due singhiozzi, a distanza ravvicinata, quasi attaccati. Solo un fruscio.

– Attenti, ce n'è un altro –. Un singhiozzo, piú sottile ancora, opaco, lontano.

– Chi c'era sveglio a quell'ora? – chiese il commissario.

– Io, – disse Sarrina, – ma non ho...

– Anch'io, – disse Matera. – Non ho dormito quasi niente ieri notte. Li ho sentiti quei rumori, gli ultimi... ma mi sembrava un sospiro di sonno e uno che si volta nel letto.

– Invece erano tre palle di vetro dentro una copertura di plastica. Calibro 22 ad alta velocità, a giudicare dagli effetti. Silenziati, – disse Di Cara.

– E un attacco di convulsioni. Ma non prendetevela troppo... come ve li ho fatti sentire adesso sono amplificati e ripuliti dall'equalizzatore. Non me ne sarei accorto neanch'io, senza cuffie...

– Buono, Sasà... – disse il commissario. – Non me li scusare troppo. Si sono fatti ammazzare l'amico che stavano sorvegliando... tre omicidi durante il turno di sorveglianza. A me pare comunque una bella cazzata. Ma ne parliamo dopo.

Grazia aveva appoggiato i gomiti alle ginocchia e premeva col dito sulla guancia, mordendosi l'interno della bocca. Riusciva a vedere la scena. Chi aveva ucciso Jimmy e i suoi doveva aver usato un visore notturno per muoversi nell'appartamento cosí silenziosamente, senza urtare niente. Scivolare senza rumore attraverso un labirinto di linee verdi fosforescenti, di livide sagome brillanti per avvicinarsi a Mimmo e tagliargli la gola. Chi aveva sparato, un secondo uomo, probabilmente, doveva avere un puntatore laser montato sotto la canna della pistola per tirare con tanta precisione. Un puntino rosso che esce dalla massa informe del silenziatore, un Brügger-Thomet o un Mark Withe Millennium, avvolto magari in uno straccio umido, un puntino rosso che danza sulla testa verde che esce dal lenzuolo, e all'improvviso si ferma. Un buco per uno, piú il colpo di grazia per Jimmy. Doveva avere anche una retina applicata all'otturatore della pistola, perché non si sentivano cadere i bossoli, e comunque nell'appartamento non ne avevano trovati. Riusciva a vedere tutto, Grazia, tranne una cosa.

– Come sono entrati? C'è solo la porta e quella avremmo dovuto sentirla. Rumori di scasso... li avremmo notati, no?

– Tre e ventuno, – disse Di Cara. – Fece per

chinarsi sul registratore, sfiorando il tasto di riav-
volgimento del nastro, poi scosse la testa. – Non
importa, ve lo racconto a voce. Alle tre e ventuno
si sente qualcosa di metallico. Pianissimo... me ne
sono accorto soltanto visualizzando le variazioni
della banda sonora. Diciannove minuti dopo un altro rumore metallico, da catena, un po' piú forte
ma sempre piano. Ha infilato un grimaldello nella
serratura e ce l'ha girato dentro cosí piano che ci
ha messo diciannove minuti, millimetro dopo millimetro. Poi ha afferrato la catenella di sicurezza
con una pinza angolata e ci ha messo altri sette minuti a sfilarla.

– Cristo, – mormorò Matera. – Che sangue
freddo.

Il commissario lanciò un'occhiata all'ispettore
Di Cara, che sorrise.

– E non è finita, – disse Di Cara. – Provate a in-
dovinare perché lo fa. Fare piano va bene, non vuole che quelli dentro si sveglino... ma perché *cosí*?

– Perché sa che ci siamo noi, – disse Grazia. –
Sa che siamo in ascolto e abbiamo orecchie piú fini di Jimmy e dei suoi. Per questo sta quasi venti
minuti immobile a far girare un grimaldello in una
serratura.

– Brava, – disse Di Cara.

– Brava un cazzo... – disse il commissario. – Sasà, quella ragazzina lí è un'esperta nella caccia ai
latitanti. Prima di venire qui alla Mobile stava con
me a Roma, e ti giuro che era un mastino. Quando doveva prendere uno ci si fissava sopra e non
andava neanche piú a dormire, lo studiava, sapeva tutto quello che aveva fatto, che aveva detto,
com'era da bambino, anche quello che sognava,
minchia, come per un fidanzato... Solo che inve-

ce di sposarselo voleva sbatterlo in galera. Gliel'ho dato apposta questo servizio... e mi fa questa cazzata. Brava, Grazia, complimenti!

Grazia non disse nulla. Guardava per terra, con le labbra strette e il mento che le tremava per la rabbia. Sapeva che se avesse alzato gli occhi si sarebbe messa a piangere.

Matera sfilò le mani da sotto il sedere e prese un sigaro dal taschino della camicia. Non voleva fumarlo, appena erano entrati il commissario lo aveva detto subito che quella stanza era troppo piccola e che ci fumava solo lui, voleva solo tenerlo tra le dita. Perché avrebbe voluto ripetere «Che sangue freddo», ma era stato distratto da un pensiero, un pensiero fastidioso, che non riusciva a farlo stare fermo.

– Un momento, – disse. – Se pensate che gli amici sapessero già della nostra sorveglianza va bene... ma se credete che se ne siano accorti mentre eravamo lí, allora non ci sto. Io c'ho tenuto dietro e non ho notato nessuno in appostamento. Quando scendevamo a mangiare, quando uscivamo... non ho mai visto nessuno piú di una volta e nessuno in atteggiamento sospetto.

– Non avresti potuto accorgertene, – disse il commissario. Matera si staccò dal muro, drizzando la schiena. Il naso e la pelle sotto gli occhi gli erano diventati improvvisamente rossi, come una mascherina tagliata a metà. Strinse anche il sigaro, tra le dita, facendolo scricchiolare.

– Mi scusi, dottore, ma io non permetto neanche a lei...

– Non ti incazzare, Matera, – tagliò corto il commissario. – Non è un cazziatone. Guardati questo e capirai.

L'ispettore Di Cara tornò a chinarsi verso il carrello e questa volta accese il videoregistratore. Grazia si alzò dallo sgabello e si avvicinò alla scrivania, per vedere lo schermo senza riflessi. Si spinse in avanti, appoggiandosi con una mano allo schienale della sedia del commissario, curva, quasi sulla spalla di lui. Al suo odore di tre giorni senza doccia da far incombere sul suo dirigente non ci pensava piú.

Il nastro era già puntato e nel televisore, inquadrato dall'alto, apparve il portone della casa in cui si era nascosto Jimmy. Immobile, grigio, chiuso. I numerini bianchi del timer sull'angolo destro scorrevano veloci. Quelli dei secondi si accavallavano costanti, alla fine della striscia che segnava le tre e dieci.

– Il palazzo, – disse l'ispettore Di Cara, – è un casermone popolare degli anni Settanta...

– Lo sappiamo, – lo interruppe Sarrina. – Ci abbiamo passato tre giorni davanti. Due blocchi gemelli con due portoni d'ingresso e due scale. Nessun'altra entrata. Sei piani per blocco, due appartamenti per piano. Jimmy ha affittato tutti e due quelli del suo.

Di Cara sospirò. Si chinò in avanti e bloccò il nastro con la punta di un dito. L'inquadratura si fermò sulla stessa immagine di prima, il portone chiuso, il vetrocemento scuro della cornice, uno spicchio della strada davanti, illuminato dal cono di luce di un lampione, pallido e macchiato di ombre immobili.

– Stai calmo, collega, – disse Di Cara, ancora piegato in avanti, il dito sulla tastiera del videoregistratore. – Non vi sto facendo le pulci. Voglio solo dire che in quella minchia di casermone ci stanno una media di cinquanta persone per parte, per cui anche se la Mobile si è ripassata tutti i vicini per vedere se nel vostro nastro c'è qualcuno che non è del palazzo, prendete tutto con beneficio d'inventario.

Spinse un tasto, ansimando per aver parlato tutto quel tempo piegato sulle ginocchia, e tornò ad appoggiarsi allo schienale della sedia. Il nastro riprese a muoversi.

– Grazia, – disse il commissario, – secondo te quanti erano?

C'era qualcosa nel video, qualcosa che stava per arrivare. Grazia non tolse gli occhi dallo schermo. Smise solo di mordersi l'interno delle guance.

– Un gruppo di fuoco di due, – disse. – Almeno due. Nessun palo, se no Sarrina l'avrebbe visto –. Ma non ne era molto convinta.

– E infatti, – disse Di Cara, – abbiamo due sospetti. Ecco il primo.

Era un ragazzo in bicicletta, preceduto, quasi annunciato da una variazione di luce tra le ombre sulla strada. Tra i venti e i venticinque. Tipo studente. Alto, magro, i capelli lunghi, un po' mossi, legati in una coda crespa sulla nuca. Un maglione a coste, marrone stinto, lungo fino al sedere e calzoni rossicci, di tela. Scarpe da ginnastica. Zainetto nero in mezzo alle scapole. Barba rossiccia, come i calzoni e i capelli, poca, rada, riccia, caprina, tutta sotto il mento. Appoggia la bicicletta al muro del palazzo, sulla strada, quasi al limite dell'inquadratura, poi sfila una catena arrotolata attorno al manubrio, la fa passare tra i raggi della ruota e l'aggancia a qualcosa che non si vede perché è fuori campo. Poi apre il portone con le chiavi ed entra.

– Ecco, – disse Di Cara, fermando il nastro per poter azionare il tasto che lo mandava avanti velocemente. – Questo è il primo. Dieci minuti dopo iniziano i rumori alla porta di Jimmy. Però c'è un altro uomo.

– Me lo ricordo, – disse Matera.

– Me lo ricordo anch'io, – disse Sarrina. – Non aveva niente di speciale...

– A parte essere uscito venti minuti dopo l'ultimo sparo, – disse Di Cara. – Ma non è questo il punto. Guardatelo un po'...

Timer quattro e dieci. Dal portone grigio esce un uomo sui cinquanta. Basso, tarchiato, pochi capelli grigi schiacciati sulle tempie e lisciati in un riporto sul cranio rotondo. Tuta blu sotto un piumino da sci grigio, le bande gialle e rosse sulle maniche molto scolorite. Tiene tra le labbra una sigaretta quasi finita e nella mano destra stringe i manici di una borsa da ginnastica, vecchia, e anche quella molto scolorita. Sulla soglia si ferma un attimo per tirare una boccata, le dita dell'altra mano strette attorno al filtro, gli occhi socchiusi, un angolo solo della bocca aperto in una smorfia cattiva, prima di lanciare via il mozzicone con un colpetto del medio. Recuperare la cicca, pensò Grazia. Dna sulla saliva.

– C'è qualcosa che non va, – disse Matera. – Il ragazzo ha legato la bicicletta quando è entrato. Non mi sembra una cosa da uno che sta per ammazzare tre persone.

Il commissario sorrise. Si buttò all'indietro, contro lo schienale della sedia, incrociando le dita dietro la nuca. Grazia se lo trovò tra le braccia e si scostò con uno scatto esagerato, che nessuno sembrò notare.

– Dài, Sasà, – sospirò il commissario. – Diglielo e facciamola finita.

– Mi sono divertito a giocare con il programma che avete alla Scientifica per i confronti antropometrici...

Grazia annuí, come se stesse parlando direttamente a lei, anche se Di Cara guardava il commissario. Lo conosceva quel programma. Rilevava alcuni punti chiave del volto di una persona. Digitalizzava una fotografia o un fotogramma, calcolava la distanza tra gli occhi, l'angolo della radice del naso, la lunghezza delle orecchie, e li riduceva a formule numeriche da confrontare con quelle di altri volti elaborati nello stesso modo. Riuscivano a individuare gli autori dell'ottanta per cento delle rapine, cosí.

– Ho messo a confronto le loro elaborazioni con quelle dei pregiudicati che abbiamo schedato, – continuò Di Cara. – Niente... nessuno dei due ha precedenti penali. Omicidio, rapina... niente. Puliti e sconosciuti. Ma la cosa piú strana non è questa. È stata un'idea del dottor Bozzi... abbiamo messo a confronto l'uomo e il ragazzo e sapete cosa è saltato fuori? Che sono la stessa persona.

Il commissario spinse due fotografie fuori dal fascicolo che aveva sulla scrivania. Il ragazzo con la bicicletta e l'uomo in tuta, in un fotogramma che li riprendeva di fronte. Ingrandimenti in bianco e nero, sgranati e opachi, con linee tratteggiate e cerchi a pennarello rosso sui volti immobili.

– Minchia... – mormorò Sarrina. – E come è possibile?

Grazia si appoggiò con le braccia alla scrivania del commissario, chinandosi sulle fotografie. Sembravano due persone diverse. *Erano* due persone diverse. Completamente diverse.

– Matera, – disse il commissario, evitando di
guardarlo. – Mi dispiace ma ti saltano le ferie... la
tua cubana la vedrai un'altra volta. La cazzata l'abbiamo fatta noi e a noi tocca rimediarla. Abbiamo
un killer professionista in grado di cambiare iden-
tità come vuole, che ammazza da solo, senza sba-
gliare un colpo, e mentre stiamo sorvegliando le
vittime. Negro... – guardò Grazia, che alzò gli occhi nei suoi, attenta. – Questo servizio è tutto tuo.
Dàcci dentro e prendimi quell'uomo.

Grazia annuí, senza dire niente. Seguí Matera
e Sarrina fuori dalla porta, scavalcando una sedia
che era rimasta a metà. La voce di Di Cara fu poco piú di un sussurro, da bocca a orecchio, ma Grazia era appena uscita e la sentí lo stesso.

– Dottore... ma è sicuro che quella ragazzina
abbia tutte le palle per una cosa del genere?

– Non è un pit bull.

– Però lo sembra...

– Non è un pit bull, è un american stafford. Sembra un pit bull ma non lo è. È buonissimo, il cane piú buono del mondo.

– Sarà... a me però sembra un pit bull. Tienilo legato, per favore.

Tutte le volte è cosí. Quando lo porto fuori, per la strada, la gente tira via i bambini e prende in braccio i cani. Mi guardano male mentre passo, tipo «ecco questo con il cane cattivo», ma non dicono niente, perché se lo dicessero, se mi insultassero per esempio, potrei spiegarglielo che piú che un cane questo è una salsiccia con le gambe, che con quella bocca non ha mai fatto nient'altro che ingoiare con una voracità disgustosa due scatolette di Dog al giorno, di quelle da offerta speciale mille lire. E che quel ghigno feroce che gli vedono sul muso è solo un sorriso beota, come lo può avere solo chi dorme ventitre ore su ventiquattro e per il resto o mangia, o caga, o piscia. Ma nessuno mi dice mai niente, mi guardano tutti come se fossi un fanatico e io mica posso andare in giro con un cartello al collo con su scritto «Non è un pit bull, cazzo!»

Qualcuno, per fortuna, l'ha capito. Il Morbido,

per esempio, che a parte non volercelo proprio, in casa, per il resto non ha problemi. Anche perché credo che non lo sappia neppure cos'è un pit bull. Qui a Freeskynet, invece, non l'hanno capito. È la prima notte che lo porto con me ed è già successo un casino. Il capo mi ha detto di non farlo mai piú, e Luisa non ci crede che non è un pit bull, cazzo.

Ti farò male piú di un colpo di pistola
è appena quello che ti meriti...

– Tienilo piú corto quel guinzaglio... mi fai stare tutta fuori con la sedia. Ale, non arrivo alla tastiera...

Luisa sta scaricando in rete la registrazione del concerto dei Subsonica alla Festa dell'Unità. Non è neppure in diretta, è in differita di un giorno, ma Freeskynet, qui a Bologna, è un provider un po' del cavolo. In realtà, piú che controllarlo se lo guarda, il concerto, perché a lei i Subsonica piacciono. Anche a me, ma in questo momento preferirei Tenco. Un giorno dopo l'altro.

Come ti gira dopo un colpo di pistola
Ti vedo un po' a corto di numeri...

– O tieni il guinzaglio piú corto o vai a un altro terminale... Cristo, guarda! Mi arriva quasi alla gamba!

– Facciamo cambio... vengo io alla musica.

– Col cavolo... alle chat ci stai te, carino.

Ha ragione. Il controllo delle chat non è la parte piú noiosa del lavoro in un provider, ma alla lunga stufa piú degli altri. In pratica, Freeskynet Bologna è fatta di tre stanze al secondo piano di un palazzo del centro. La prima, appena si entra, con la segretaria e la scrivania per i servizi al pubblico, gli abbonamenti, il marketing, eccetera. La seconda, subito dopo, con l'ufficio del capo, piccolissima, ma a lui piace cosí. La terza siamo noi, il cuore pulsante del nodo, i tavoli con i terminali, le mensole con i modem, gli schiavi che fanno le pagine web, che caricano e scaricano i file, che controllano tutto fili liscio, soprattutto le chat e la posta. In tutto: io, Mauri e la Luisa. O meglio, in linea gerarchica: Mauri, la Luisa e io.

Durante questo tempo
ho vomitato rancore...
Ho ricucito i pezzi
ricominciato a sperare...

In realtà, adesso non avrei voglia di fare un cazzo. Vorrei mettere le braccia sulla tastiera e appoggiarci sopra la testa, col naso sulla zeta, e addormentarmi per sempre mentre sul video scorre una serie infinita di *zzzzzzzzzzz*. Passare il resto della mia vita cosí, un giorno dopo l'altro, davvero. L'ultima cosa che vorrei, l'ultimissima, è starmene qui a occuparmi dell'area chat. Stare attento che tutto funzioni, che gli utenti stiano alle regole, che nessuno si crei una stanza con argomenti illegali... soprattutto che non ci siano pedofili in giro. Non adesso, almeno, con tutte quelle storie sui giornali. Una volta i cattivi erano i naziskin, poi i satanisti, e adesso no, il direttore è stato chiaro: occhio ai pedofili. L'ha messo anche nella home page del portale, accanto al logo della chat: «Warning, net patrol! Attenzione: sorveglianza antipedofilia!» Cioè io: portiere di notte, postino elettronico e cyber-ronda per pedofili. Come se fosse possibile trovare davvero un pedofilo allo scoperto, qui, tra queste righe in helvetica corpo quattordici, che si inseguono velocissime sullo schermo, una sotto l'altra

<Cl@udia> Ciao! Quanti anni hai?

<M@xbonissimo> Cosa fai?
<Robert@> Chi sei?
<@uror@> Da dove dgt?
<Debby>:)
<Roby>;)
<Kitty>:(
<Patty>:(((

Cliccando sul nome si possono leggere alcune parole di profilo, quando c'è. Ma a me, adesso, non me ne frega niente delle storie degli altri. Sono troppo preso dalle mie.

«Ragazzotriste87 (x Mara, T.V.B.)»

«Ramones88 (inkazzatissimo)»

«Fumata86 (Bumalek Bumalek Shivaaa!)»

– Luisa, senti... di solito i tuoi maschietti li lasci tu o ti mollano loro?

– Li mollo io.

– E ti capita mai che ci ripensi? Che cambi idea e che torni indietro?

– Mai.

– Grazie, Luisa.

Si accorge di essere stata un po' brusca, perché si volta e mi guarda. La guardo anch'io. Non sarebbe neanche male, Luisa. Venticinque anni, piccolina, minuta ma ben fatta. Carina. Capelli chiari, mossi, lunghi sul collo. Una collana un po' freak di tubicini d'osso, parecchio indiano americano, sulla pelle ancora molto abbronzata tipo ferie recenti, e altri tubicini attorno al polso, parecchio afro, questi. Anelli di metallo intrecciato su dita dalle unghie corte, strette attorno a una sigaretta Merit sottilissima. Calzoni kaki, tutti tasche e lenti alla caviglia, e canottiera rosso mattone, perché il capo risparmia sull'aria condizionata. Sandali aperti, sfilati sul tallone, la cinghia di cuoio schiacciata sotto le piante dei piedi, dalle unghie blu scuro. Una catenina d'argento, sottilissima, alla caviglia. Credo di non averla mai osservata cosí bene, Luisa.

– Senti... non era l'unica donna al mondo, – mi dice. – E tu non sei proprio l'ultimo sfigato della terra. Prima o poi un'altra la trovi.

– Tu dici?

– Sí.

– Esci con me, domani?

– No.

– Grazie, Luisa.

Questa volta non mi guarda, si stringe nelle spalle e torna ai Subsonica, al palco sgranato nel quadrato minuscolo al centro del monitor, sgranato e colorato, dove il cantante e i musicisti si muovono morbidi e a scatti, leggermente fuori sincronia rispetto alla musica.

Avevi tutto quanto
anche il mio sogno migliore...
Hai preso ciò che serve
senza ritegno né onore...

Mi appoggio all'indietro, allo schienale della poltroncina, piano, per non ribaltarmi sulle tre gambe a rotelline, e allaccio le mani dietro la nuca. Alzo gli occhi a una macchia di umidità che ombra un angolo del soffitto. Come tanti palazzi del centro di Bologna questo ha i soffitti affrescati, o meglio, li avrebbe, se qualcuno si ricordasse che ci sono.

– In effetti, – dico, – era la ragazza piú bella del mondo.

– Figuriamoci, – dice Luisa, quasi tra sé.

– Era bellissima, invece. Bionda e danese, con gli occhi azzurri. Ma non la solita bionda nordica, no... intanto aveva un volto particolare. Aveva il naso leggermente storto... tipo un incrocio tra Cameron Diaz e Ellen Barkin. Se l'era rotto da bambina...

Mi tocco il naso, dritto il mio, sottile. Vorrei sentire tra le dita lo stesso abbassamento, la stessa piccolissima curva. Mi manca il suo naso.

– Aveva un occhio leggermente piú chiaro... se uno era blu, ma proprio blu, l'altro era un pochino piú azzurro. E anche un orecchio... quando si tirava su i capelli dietro la testa un po' si vedeva... piú a sventola dell'altro. Era perché ci dormiva sopra da piccola, nella culla. E aveva anche una clavicola, qui... – mi tocco sotto la maglietta, ma non è la stessa cosa, – un pochino piú in fuori, un po' sporgente...

– Insomma, era tutta storta.

– Ma no, che cazzo dici... era tutto armonico. Particolare.

– Un tipo, insomma.

– No, non un tipo, Luisa... bella. Kristíne era bellissima, non un tipo.

L'ho detto troppo forte, con troppa foga. Sotto il mio tavolo il Cane si sveglia e alza la testa. Socchiude le mandibole e lascia scivolare fuori dalla bocca una striscia di lingua rosa, sottile e bagnata. Si guarda attorno, con quegli occhi piccoli e distanti, ai lati del muso appuntito, e quell'espressione che ha sempre, un po' down. Luisa fa mezzo giro con la sua poltroncina, allontanando le gambe strette, i piedi sollevati sulle punte. Lo fa cosí in fretta che un sandalo le rimane sul pavimento, e il Cane ci punta contro, tirando nel guinzaglio, ma piano, quasi senza alzarsi.

– Tieni lontano quel mostro! – dice Luisa.

– Non ti fa niente...

– Chiamalo! Ce l'avrà un nome, no? Non glielo ha dato, quella là, prima di mollarti?

A dire il vero no, non ha fatto in tempo. E neanch'io ci ho mai pensato. Il Morbido lo chiama Il Problema, io lo chiamo Il Cane. Ma in quel momento non è quello che mi interessa puntualizzare.

– Non mi ha mollato lei, – dico, – cioè, non proprio. Era qui col progetto Erasmo, per un anno, poi l'anno è finito e lei è tornata a Copenaghen. Punto e basta.

Il Cane resta un po' indeciso se continuare a tirare strisciando verso il sandalo di Luisa o dargliela su. Deve decidere che non ne vale la pena, perché riabbassa la testa sul pavimento, lí dove si trova, e si addormenta immediatamente. Luisa resta lontana, all'angolo del suo tavolo, un piede scalzo appoggiato sul sandalo dell'altro. Mi guarda male, poi tira l'ultima boccata dalla sigaretta, la schiaccia in un portacenere e fa un cenno verso il mio schermo.

– Guarda che là è caduto tutto, – dice, cattiva.

È vero. L'area chat si è scollegata e non si evidenzia piú quando ci passo sopra la freccetta del mouse. Anche le varie finestre restano immobili, inerti e passive quando ci clicco sopra. Metto le mani sulla tastiera, attivo il messaggio che chiede agli utenti di staccarsi e di ricollegarsi di nuovo e poi mi dò da fare per rimettere a posto le cose.

<Buffy> Che botto!

<Debby> Che tonfo!

<Poppy> Ci sei?

L'area chat di Freeskynet ha una cinquantina di stanze. La lista si trova in un rettangolo a sinistra dello schermo, e quando ci fai scorrere sopra

la freccina del cursore a destra si evidenziano i *nick*,
i nomi falsi di quelli che ci stanno dentro. Alcune
stanze, poche per fortuna, sono *moderate*, nel senso che c'è un moderatore, nella fattispecie quasi
sempre io, che anima la conversazione quando cade, sta attento che non si dicano troppe parolacce
e butta fuori il solito sfigato che si inserisce con
«Cerco troia per chiavare chi me la dà???» Ogni
stanza ha un nome, strano, curioso, accattivante,
osceno, *Giovani.chat*, *Luna di ghiaccio*, *Il regno di
Avalon*, *Gli amici di Filippo.chat*, ma per lo piú sono stanze di argomento sessuale, *Sesso.chat*, *Oral-
sex.chat*, *Analsex.chat*, *Cagaminbocca.chat*, perfino
Facciamociunasegaparlandodellamiaragazza.chat, e
un utente, Pippa27, che aspetta da solo nel rettangolo a sinistra. Le stanze *Sm*, quelle sado.maso, sono quattro, sempre tutte piene. Quelle gay e quelle lesbo quindici, con le ragazze che vincono per
otto a sette. C'è chi le usa come surrogato del telefono, tipo Impiegato31, che stacca sempre con
«Devo lasciarvi, raga, è entrato il capo». Chi cerca davvero qualcuno per qualcosa di specifico e dalle prime battute chiede foto, immagini in webcam,
e-mail e numero di cellulare, astenersi perditempo.
Chi gioca, si inventa una maschera e la recita, tipo
Casanova32cm, Maia Sudicia e Porca, Reinhardt
Giovane SS, MisterMaster e schiavo umilissimo,
tutto minuscolo, perché agli *slave* non è permesso
usare le maiuscole nel nick. In queste chat quasi
nessuno parla in pubblico, lanciando le proprie frasi nello spazio comune con il tasto di invio, una sopra l'altra, piene di errori di battitura per la fretta
di digitare. In queste chat sono sempre tutti in *pvt*,
in privato, perché basta cliccare due volte sul nome nel rettangolo a destra e si può parlare diretta-

mente col soggetto, in uno spazio a parte, da soli, invisibili agli altri.

O almeno cosí credono.

Ma non è vero.

Io posso leggerli.

Davanti al mio nick c'è una serie di comandi rias-sunti graficamente da una chiocciolina che mi dàn-no il potere di fare quasi tutto quello che voglio. Come entrare nel pvt, di nascosto, e guardare.

<Cornelius> Le senti le mie mani su di te? Sen-ti le mie dita che ti stringono la gola, che ti schiac-ciano le labbra...

<Lara> Le sento...

<Cornelius> Senti la mia verga dentro di te? Schiaccio la tua schiena contro il muro e spingo, Lara, spingo...

<Lara> Sí, Cornelius... spingi... stringo le mie gambe attorno ai tuoi fianchi... spingi...

Cybersex, abbastanza soft, anche. Mi chiedo sempre cosa stiano facendo veramente in quel mo-mento. Si toccano, si eccitano davvero? O sono in ufficio, seduti composti, a fingere di lavorare?

<Sade> Godi, schiava, ti frusto... *Squash! Squash! Squash!*

<Justine> Ti lecco, padrone... *Slap! Slap! Slap!*

<Masoch> Sí, fammi male... *Ahhh! Ahhh! Go-dooooooooo!*

<Venere in pelliccia> Per quella ricetta del sof-fritto che mi hai dato l'altra volta... ce li metti pro-prio tutti gli odori? Anche la carota?

Non è che sia proprio nelle mie corde questa co-sa da guardoni. All'inizio è divertente, spiare nel-le stanze tipo Grande Fratello, farsi i cazzi degli altri, scoprire quanto è strano il mondo... poi stu-fa. Io ne ho abbastanza dei miei, di cazzi. Però sono qui a saltare da una chat all'altra, come quando devo dare un esame e non riesco a stare sui libri, perché solo il pensiero mi procura una stanchezza dolorosa che mi strazia e perdo tempo a guardare fuori dalla finestra, o accendo la tivú, o vado in giro per Internet, solo un quarto d'ora, giuro, poi comincio.

Luisa deve avermi chiesto se le dò una mano, o una cosa del genere, perché lancio un'occhiata al suo schermo e vedo che il concerto dei Subsonica si è inchiodato in una striscia di immagini sovrapposte nel quadratino colorato. Dico che non posso, non per stronzeria ma per quella sensazione di dolore fisico che mi viene quando devo fare qualcosa, soprattutto adesso che non vorrei fare altro se non ascoltare Tenco e parlare di Kristíne. Cosí, per darmi almeno un contegno, lascio le stanze erotiche e vado a guardare in quelle piú normali e forse piú strane. Sposto la freccetta del cursore nell'angolo in basso a destra e rinfresco la lista delle stanze, che cambia rapidamente, perché ognuno può farsi la sua e chiuderla quando vuole. Infatti ce n'è una nuova, che mi fa staccare la schiena dalla poltroncina e avvicinare il volto allo schermo.

Si chiama *Pitbull.chat*.

Nel rettangolo di destra ci sono due nick, uno sopra l'altro. *Pitbull* e *Ilvecchio*.

Lancio un'occhiata al Cane, che dorme sul pavimento, cosí immobile da sembrare morto, ed entro nella stanza, senza che il mio nome compaia nella lista dei nick.

Niente. Schermo vuoto, nessuna riga scritta. Pitbull e Ilvecchio stanno chattando in privato.

Luisa dice ancora qualcosa, ma io scuoto la testa, qualunque cosa sia. Ho già le dita sulla tastiera e il mouse pronto. Li cerco, li trovo e entro.

<Ilvecchio> È pronto il mio pit bull?

<Pitbull> Quasi.

<Ilvecchio> Hanno chiamato... mi fanno fretta. Lo vogliono subito.

Guardo il Cane e guardo il sandalo di Luisa abbandonato e cappottato a un centimetro dal suo naso. Facile che appena si sveglia glielo sgranocchia in meno di un minuto. E lei si mette a urlare.

<Pitbull> Lo avranno quando sarà pronto.

<Ilvecchio> Presto...

<Ilvecchio> Non c'è piú tempo...

Vorrei entrare nella chat e dirgli che ce l'ho io un cane cosí, bellissimo, purissimo, e che glielo dò anche gratis. Subito subito. Dovunque stiano, a Pordenone, a Palermo, dove gli pare, glielo porto io, con la macchina del Morbido, e guida lui. Lo faccio? Se entro succede un casino, perdo il posto e mi sa che c'è qualcosa anche per una denuncia.

<Ilvecchio> Non serve un american stafford...

<Ilvecchio> ...ci vuole un pit bull.

Merda. Allora no.

<Ilvecchio> Non sarà facile.

<Ilvecchio> Lo sai, vero?

<Pitbull> Lo so.

C'è qualcosa di strano in questa conversazione. Qualcosa di inquietante. Guardo lo schermo e mi sento la schiena coperta di brividi. Non so perché. Devo ricordarmi di salvarla prima di chiudere il mio contatto con la chat.

<Ilvecchio> Sai quello che voglio...

<Ilvecchio> ...il migliore...

<Ilvecchio> ...il migliore di tutti.

LO SO.
17, 02:09:30, Pdt 2000] Pitbull left

chiude proprio mentre Luisa riesce a
concerto dei Subsonica. La musica
esplode, fortissima, perché lavorando sul file audio
ha sbagliato a regolare il volume e lo ha alzato tutto. Dalle casse del suo terminale, la voce un po' nasale del cantante, allargata e distorta dagli effetti,
mi aggredisce, acuta, e quasi mi sposta la testa di
lato, come se mi avesse colpito davvero.

Ti farò male più di un colpo di pistola
è appena quello che ti meriti...

Lo fissava.

Lo guardava, sempre.

Non gli staccava mai gli occhi di dosso.

Tutte le volte che andavano a trovarlo, suo padre alzava gli occhi appena lui entrava e glieli incollava addosso, cosí azzurri, cosí chiari, quasi grigi. Teneva le palpebre spalancate, come se non volesse chiuderle neppure per l'attimo di sbatterle, e lo seguiva in ogni movimento. Appena arrivava in camera, appena passava la soglia, dietro sua madre, infilava i soliti fiori nel vaso sul tavolino davanti alla finestra, liberava una sedia dalla vestaglia e si sedeva.

Non diceva una parola.

Mai.

Lo guardava in silenzio.

Sua madre no, in silenzio non ci stava. Cominciava a parlare dal corridoio, con l'infermiera della casa di riposo, e quando entrava in camera di suo padre passava da un soggetto all'altro, indifferentemente, senza cambiare tono o volume. A dire il vero, non era stata zitta neppure prima, nel vialetto che portava alla villa, o in macchina, in tangenziale, o a casa, a pranzo, o anche prima. Si poteva dire che stava parlando da quando si era svegliata e che in un certo senso, visto il tono uniforme che continuava ad avere, era come se avesse sempre parlato con suo padre, anche da lontano.

Hai visto che Vittorio è venuto a trovarti?

Quanto tempo era che non lo vedevi?

Dice che sta fermo un po', quindi magari un'altra volta torna.

Seduto in un angolo, un braccio sul piano del tavolo, allungato fino a toccare con la punta di un dito una goccia d'acqua uscita dal vaso con i fiori, neanche Vittorio parlava, se non per rispondere a una domanda diretta di sua madre, che gli chiedeva di raccontare qualcosa. Allora schiudeva le labbra, le scollava con uno strappo quasi doloroso, e diceva, mormorava, sussurrava, iniziava frasi che lasciava in sospeso, finché non gli sembrava di aver messo in fila abbastanza parole da poter tornare in silenzio, a osservare la goccia che si schiacciava sul tavolo, evaporando sotto la pelle del suo dito.

Suo padre stava nella casa di riposo Villa Maria di San Lazzaro da tre anni, dopo che si era perso per la seconda volta. Aveva l'Alzheimer, a uno stadio abbastanza avanzato, molto serio, anche se non ancora disperato. Era stato allora, quando lo avevano trovato a Trento dopo quasi una settimana e nessuno aveva capito come avesse fatto ad arrivarci, che sua madre si era decisa a metterlo a Villa Maria. A casa c'erano troppi pericoli, il terrazzo, la porta che rimaneva aperta quando andava a fare la spesa, la statale troppo vicina, lui, Vittorio, che non c'era mai e non poteva neanche darle una mano. Villa Maria, allora. Villa Maria. Però andava a trovarlo tutti i giorni, due volte al giorno, e gli parlava, sempre.

Sai che la Festa dell'Unità non fa più tutta quella confusione?

Sai che la figlia della Pina si è lasciata col marito?

Sai che la signora Marangoni ha il nipote che si droga?

Lui, suo padre, non lo guardava mai.

Se poteva, evitava di alzare gli occhi su di lui, parlava fissando un punto qualunque, a destra o a sinistra del suo volto, e se incrociava i suoi occhi, voltando la testa casualmente, spostava subito lo sguardo, come se avesse percepito qualcosa, una mosca, un movimento di sua madre, da osservare. Una goccia sul tavolo.

Sfregando assieme i polpastrelli umidi, Vittorio si chiese se suo padre stesse zitto anche quando lui non c'era. Con l'infermiera, con il dottore, da solo.

In silenzio.

Seduto nella poltrona azzurro carta da zucchero, schiacciato, abbracciato dalle forme rotonde anni Sessanta dei braccioli in finta pelle, magrissimo, infossato, avvolto dalla giacca del vestito troppo grande, curvo, il collo spigoloso infilato nella fessura a V del colletto aperto, premuto sul secondo bottone della camicia, i polsi sottili e le caviglie gettati fuori dalle maniche e dai calzoni come binari morti nell'occhio nero di una galleria. Le mani artigliate sulla pelle dei braccioli, le dita secche come radici vecchie, il dorso ossuto, coperto di macchie chiare. Le pantofole immobili, tutto il giorno. Un giorno dopo l'altro.

Aveva cinquantacinque anni, suo padre, ma ne dimostrava cento.

Chissà che silenzio c'è nella sua testa, pensò Vittorio. Che tipo di silenzio c'è. Se ronza, come succede a volte, riempie le orecchie, da fuori, come un tappo di cera, si infila, prima sottile come un velo, poi si infittisce, stringe le maglie e da una rete diventa una tenda compatta e spessa, che si schiaccia sul timpano e impedisce agli altri rumori di passare, li copre con quel volo fitto di vespe, con quello stridere rovente, insistente, di grilli e di cicale, col raschiare acuto e isterico di olio che frigge.

Oppure è un silenzio liquido, uno di quei silenzi neri che si formano dentro la testa, tra le orecchie, in un punto imprecisato al centro del cervello, un puntino minuscolo, una piccola macchia, un vuoto, che si allarga lentamente e intanto assorbe tutto, toni, frequenze, vibrazioni, timbri, alti, bassi, parole, suoni, li attira e li inghiotte in un gorgo di piombo, denso, opaco e ottuso, un buco nero che si espande, scivola giú lungo la gola e si mangia anche il cuore, i polmoni, l'intestino, e non ha piú confini, se non la pelle, inutile, del corpo.

Oppure no, è una goccia, una goccia che cade, che si raccoglie alla sommità del cranio, dentro la testa, come l'acqua sulla volta di una caverna, si gonfia, si allunga e si stacca, e precipita giú, velocissima, lungo la colonna vertebrale, fino a battere contro il sedile della poltrona, dentro i calzoni, costante, precisa, serrata, una goccia dietro l'altra, un rintocco pungente che non si ferma mai, vibra sottile e ipnotico e intanto accorda su di sé tutti i rumori, li impasta e li sfuma, li fa scivolare sullo sfondo e li annulla, come un triangolo in una sinfonia d'orchestra, che insiste, insiste, insiste, finché non resta soltanto lui, con la sua goccia, a risuonare dentro.

Si accorse che stava guardando suo padre piú dall'espressione di lui che da quello che in effetti vedeva. Senza pensarci, aveva spostato lo sguardo da un punto qualunque nel vuoto luminoso della camera agli occhi di lui, che avevano cominciato a riempirlo, quel vuoto, a mettersi a fuoco, e a coprirlo tutto. Occhi spalancati, cosí chiari da sembrare grigi, fissi, con le palpebre schiacciate contro le ciglia per lo sforzo di non sbatterle. Dentro quegli occhi si muoveva qualcosa. Qualcosa di talmente violento che sembrava esplodere sotto il cristallo curvo della cornea. Un sentimento intenso e particolare, chiarissimo.

Terrore.

Per un momento, Vittorio provò quella sensazione di smarrimento doloroso che aveva quando incontrava un *déja vu*, quando la convinzione di rivivere qualcosa che non aveva mai vissuto prima gli troncava il fiato, annebbiandogli, quasi, la vista. Ma non era un *déja vu*, quello. Vittorio l'aveva già vissuto quel momento, anni prima, quasi come ora e ricordava bene quell'espressione di paura, di terrore, negli occhi del padre.

Per questo, distratto da quel ricordo che gli aveva graffiato la memoria, velocissimo, Vittorio tenne lo sguardo in quello di suo padre una frazione di secondo in piú di quello che avrebbe voluto, e continuò a guardarlo, occhi negli occhi, finché il vecchio non tirò indietro la testa, e spalancò la bocca.

Non riuscí a parlare. Il suo fu soltanto un singhiozzo spezzato, strozzato in fondo alla gola, un risucchio sonoro che gli spinse fuori la lingua come per un conato, l'inizio abortito di una parola incomprensibile che si era rotta contro i denti ed era scivolata fuori piú simile a un raglio corto e soffocato che a una voce. Sua madre lo sentí e smise immediatamente di parlare.

Ha detto qualcosa? Vincenzo, hai detto qualcosa?

Vittorio abbassò lo sguardo, imbarazzato, e strinse anche le palpebre. Sua madre gli passò accanto, veloce, e quando lui riaprí gli occhi la vide accanto al padre, china su di lui, le mani sulle spalle.

Vuoi parlare, Vincenzo? Vuoi dirmi a me? Oh Dio, Vincenzo... te la sei fatta addosso. Volevi dirmi questo? Ora ti cambio... Vittorio, vai fuori un momento, per favore?

Vittorio si alzò, evitando di guardare suo padre. Fece scivolare lo sguardo lungo le pareti e sugli oggetti inutili che si trovava davanti. Annuí, rimettendo a posto la sedia, sotto il tavolo.

Ce la fai a tornare da sola? Cosí vado a prendere Annalisa e stasera esco con lei.

Certo che ce la faccio, l'ho sempre fatto... c'è l'autobus. Vincenzo, Vittorio se ne va... però torna. Vero che torni un'altra volta a trovare papà?

Sí. Torno un'altra volta. Ciao.

C'erano giorni, quando stava a Roma, in cui non si lavava neppure la faccia, si stropicciava gli occhi, si passava le dita tra i capelli e basta. Era quando non c'era tempo perché doveva alzarsi dalla branda e mettersi in appostamento per un turno, o perché il latitante si era spostato e bisognava andargli dietro, o era arrivato l'ordine di partire per seguire una segnalazione e cambiare appartamento, cambiare città, cambiare paese, anche, qualche volta. Oppure, faceva cosí i giorni in cui non aveva niente da fare ed era a casa, in ferie o in malattia. Ma erano piú le volte che non c'era tempo.

Da quando era entrata nella Squadra catturandi Grazia aveva dovuto imparare a convivere con molte cose. Con gli odori, intanto, i suoi e quelli degli altri, odori di parti intime non lavate, di capelli non puliti, di vestiti non cambiati, di polvere e di fumo vecchio, di metalli unti di pistole e mitragliette. Convivere con i rumori, con il silenzio ronzante delle macchine d'ascolto, con le voci distorte degli intercettati, il sottofondo continuo di compagni che non riescono a stare zitti, il tirare su col naso di quelli con il raffreddore, i colpi di tosse, i peti, suoi e degli altri, trattenuti o no. Alla Mobile di Bologna invece era diverso, era tutto molto piú facile, piú tranquillo.

Ma dopo quattro giorni senza un goccio d'acqua addosso anche a Bologna la doccia diventava piú di una necessità, diventava un desiderio fisico, quasi una passione. Dentro la cabina, dietro il vetro smerigliato della porta, Grazia aveva chiuso gli occhi quando aveva girato verso sinistra la manopola del miscelatore e il getto d'acqua l'aveva investita dall'alto. All'inizio si era irrigidita, sentendo sul seno una pioggia violenta di gocce fredde, ma subito dopo l'acqua era diventata calda, caldissima, e allora aveva alzato il volto, lasciando che le scorresse sulla fronte e sulle labbra, tra i capelli. E quando aveva chinato la testa in avanti, e il getto d'acqua le aveva investito la nuca e le spalle, e le era sceso, morbido e caldo, lungo la schiena, le era sfuggito un gemito di piacere, piacere vero.

Prima di uscire dalla doccia, con la pelle dei polpastrelli cosí raggrinzita da farle male addirittura per quanto c'era stata sotto, Grazia aveva aperto la bocca sotto lo scroscio d'acqua ormai tiepida, si era riempita le guance e aveva spruzzato uno zampillo nebulizzato contro i quadretti in rilievo delle piastrelle, come aveva fatto tutte le volte, ma proprio tutte, da quando era bambina.

Era stata tanta la voglia di lavarsi che non si asciugò neppure. Si passò le mani tra i capelli lucidi, lisciandoli all'indietro e strizzandoli in una coda umida e corta, sulla nuca, e lasciò che le gocce profumate di shampoo e bagnoschiuma le rabbrividissero sulla pelle, evaporando rapidamente. Uscí dal bagno cosí com'era, nuda e scalza, e nel soggiorno, davanti alla scala che portava alla camera da letto, trovò Simone.

Non l'aveva sentito rientrare, sotto la doccia, ma stavano assieme da quasi due anni e avrebbe dovuto saperlo che a quell'ora Simone tornava dall'Istituto. Non avrebbe dovuto trasalire cosí, con una mano al petto e un sospiro trattenuto, tronco come un singhiozzo, ma se n'era dimenticata.

– Grazia? – chiese Simone, e Grazia disse: – Sí.

Era una domanda inutile, formulata piú per la sorpresa che per altro. Simone era cieco, cieco fino dalla nascita, ma era in grado di riconoscere Grazia da tante cose che non fossero il semplice vederla. E infatti non la guardava, non teneva neppure il volto nella sua direzione, ma piegato di lato, gli occhi socchiusi, le palpebre appena scostate, una piú dell'altra, che davano ai suoi lineamenti un taglio asimmetrico, quasi storto. Non poteva vederla, Simone, ma l'ascoltava. L'annusava. La sentiva.

– Non sento frusciare i vestiti, – disse. – Sei nuda.

– Sí.

– E hai appena fatto la doccia.

– Sí.

– E perché non vieni qui?

Non lo so, avrebbe voluto rispondere Grazia, ma non disse niente. Si mosse, si avvicinò a Simone e lo abbracciò, stringendosi contro di lui. I vestiti caldi contro la sua pelle fresca le dettero una sensazione che non riuscí a capire. Sembrava fastidio, ma lei si convinse che non lo era. Simone piegò la testa verso di lei e le cercò il collo con il volto, sfiorandole con le labbra l'angolo che formava con la spalla. L'annusò, forte, e la strinse, e allora Grazia lo staccò da sé, gli prese il volto tra le mani e si affrettò a baciarlo, labbra sulle labbra, schiacciate fino ai denti. Ma era un bacio troppo corto, troppo intenso ma troppo corto, che sembrava non finto, no, però non abbastanza vero.

Simone sfilò la testa dalle mani di Grazia e si mosse veloce verso l'attaccapanni a muro, come se lo vedesse. Si fermò appena prima di sbatterci contro e allungò una mano, facendola scorrere lungo il piano di legno finché non sentí il gancio d'ottone sotto la punta delle dita. Poi si tolse il giubbotto e lo agganciò lí, guidandolo con tutte e due le mani.

Grazia rimase a guardarlo, nuda e fresca di shampoo e bagnoschiuma. Quando lo aveva conosciuto per un'indagine in cui era rimasto coinvolto, Simone era un ragazzo scontroso e diffidente, che passava le sue giornate chiuso in una mansarda, a ascoltare un disco di Chet Baker mentre intercettava telefoni cellulari e radio della Polizia con uno scanner. Non faceva nient'altro, non vedeva nessuno, non parlava con nessuno, se ne stava chiuso nella sua mansarda, da solo. Poi erano successe tante cose, l'indagine si era conclusa, Grazia aveva preso il suo uomo e Simone era cambiato. Era diventato piú bello. Prima non si pettinava neppure, si tirava indietro i capelli giusto per non averli sulla fronte e non sorrideva mai, le labbra sempre strette in una smorfia ironica e scostante. Adesso aveva un buon taglio di capelli, si faceva consigliare i vestiti, insegnava italiano in un istituto per non vedenti. Ma la sensibilità, quel suo modo di abbassare la testa quando c'era qualcosa che lo colpiva, di sporgere le labbra se gli faceva male, senza riuscire a nascondere nulla, anche quando non parlava, anche quando rimaneva in silenzio, quella c'era ancora. Era di quella che Grazia si era innamorata quando lo aveva conosciuto.

– Hai freddo? – chiese Simone. L'aveva sentita sfregarsi le braccia con le mani, veloce.

– Sí... un po'.

– Vuoi andare a vestirti?

– No.

Grazia si mosse. Si avvicinò a Simone e sempre tenendosi le braccia con le mani si appoggiò a lui, rannicchiata contro il suo petto, e spinse, finché anche lui non si mosse e l'abbracciò, stretta, e allora lei si sollevò sulle punte dei piedi, raggiunse le sue labbra e lo baciò, con un bacio vero. Simone cominciò a tremare. Gli succedeva sempre in quei momenti, un tremito leggero, che a volte diventava spasmo violento. Non durava molto ma era stato cosí fin dalla prima volta che avevano fatto l'amore. Grazia se ne ricordò e sorrise sulle sue labbra, poi spinse in fuori la lingua e quando incontrò quella di Simone si schiacciò contro di lui, lo prese per la camicia, sopra le spalle, e se lo tirò addosso, scivolando all'indietro sul bracciolo del divano. Simone la seguí, allungando d'istinto le mani per sentire dove stava cadendo, mentre Grazia gli allacciava le braccia dietro la nuca e spingendo con i piedi contro l'interno del bracciolo scorreva piú avanti, sui cuscini, assieme a lui. Simone tremava piú forte, stordito dall'odore di Grazia che diventava piú caldo, dalla lingua di lei che si muoveva tra le sue labbra, dalle gambe che erano salite sulle sue e lo stringevano ai fianchi. Privo di punti di appoggio, le braccia imprigionate sotto la schiena di Grazia, lei se lo sentiva pesare addosso e allora lo abbracciò piú forte, piú stretta, e alzò il mento per lasciarsi baciare il collo, ma quando Simone riuscí a sfilare un braccio e fece scendere la mano, e la toccò in mezzo alle gambe con la punta delle dita, Grazia sentí male e lo disse con un gemito, che cercò di nascondere aspirandolo, come se fosse un gemito, sí, ma di piacere. Simone se ne accorse, forse, perché cercò di togliere la mano, ma lei non glielo permise, la schiacciò stretta contro di lui, e intanto pensava alla prima volta che l'aveva toccato, quando gli si era seduta sulle ginocchia e aveva guidato le mani di quel ragazzo cieco sotto la sua maglietta, perché le piaceva quel ragazzo che non poteva vederla ma la sentiva, e le diceva che aveva la voce blu, e i capelli blu, perché blu è il colore di tutte le cose belle, e canticchiava una canzone quando lei si avvicinava, perché era la pubblicità del deodorante che si metteva addosso, come una colonna sonora, diceva, la colonna sonora di un sogno, anche se lei non l'usava piú da un pezzo, quel deodorante, e non ricordava piú neanche il nome. E mentre pensava a quel ragazzo cieco che le tremava tra le braccia, Grazia si sentí piú calda, piú umida e piú morbida, e allora si affrettò a slacciargli la cintura dei pantaloni e a tirarli giú, quasi con violenza, quasi strappandoli. Poi lo prese e lo guidò dentro e strinse i denti perché per un attimo, un attimo ancora, sentí male. Simone smise di tremare. Si appoggiò sui gomiti, sollevandosi, e voleva baciarla, ma lei voltò la testa, gli prese le mani e se le portò sul seno, premendo sulle dita perché stringesse. Sentí male, ancora, e allora si aggrappò a Simone, le braccia incrociate dietro la nuca di lui, strette, le gambe serrate sui fianchi, la fronte schiacciata contro la spalla e la schiena curva, per assecondare le sue spinte, una dopo l'altra, curva, contratta e stretta, sempre piú veloce e sempre piú forte, finché non finí.

Quando Simone si rilassò, allentandosi di colpo tra le braccia di Grazia come avesse perso i sensi, lei continuò a tenerlo. Aveva paura di guardar-

lo in volto, di vederne l'espressione, perché anche
lei non sapeva fingere e aveva paura che Simone
si fosse accorto che non le era piaciuto, che aveva
fatto per forza, cosí lo tenne schiacciato contro la
spalla, le dita tra i capelli della nuca, finché non fu
lui a scuotersi, a scrollarsi quasi, per sfilarsi dal suo
abbraccio. Voltò la testa su una spalla e andò in
bagno senza dire niente, i pantaloni a mezza gamba, tenuti su con la mano stretta alla cintura.

Grazia chiuse gli occhi. Serrò le labbra e de-
glutí, tirando su col naso, piano, perché Simone
non la sentisse. Una lacrima, una sola, le scivolò
dall'angolo di un occhio, rotolando calda fino dietro il mento. Poi Simone imprecò, dal bagno, con
rabbia, e Grazia si tirò su di scatto.

– Che c'è? – disse, fermandosi sulla soglia.

– Non hai rimesso a posto lo shampoo, – disse
Simone. Grazia entrò, sollevò la bottiglietta che
si stava svuotando dentro il lavandino e avvitò il
tappo sulla filettatura vischiosa di shampoo non
diluito.

– Se non lo rimetti a posto tutte le volte che lo
usi io non lo trovo piú, – disse Simone. – O ci sbatto contro quando cerco il sapone. Lo sai, Grazia,
lo sai...

– Lo so, – disse, Grazia, – scusa. Me n'ero dimenticata.

– Ti dimentichi un sacco di cose negli ultimi
tempi.

– È il lavoro, Simo'. C'è sempre un casino
nuovo.

Simone sospirò. Era fermo in mezzo al bagno,
davanti al lavandino, con i calzoni a terra, arroto-
lati attorno alle caviglie come una ciambella.

– Non volevo dire questo. Volevo dire che sei

via da quindici giorni e già te ne sei dimenticata. Abbiamo già parlato del tuo lavoro, no? Lo so che non ci sei mai e tu lo sai che mi manchi quando non ci sei. Ma da un po' di tempo mi manchi anche quando ci sei. Perché, Grazia? Eh? Perché?

Aveva sporto le labbra in avanti e Grazia chiuse gli occhi per non vederlo. Avrebbe voluto tirare su col naso, di nuovo, ma non lo fece. Lasciò che le lacrime le scendessero lungo le guance, tutte e due questa volta, poi aspettò di avere la voce abbastanza asciutta.

– Dai, Simo', – disse. – Fammi lavare prima a me che devo tornare subito in questura. Poi ne parliamo, però.

Simone si strinse nelle spalle. Si chinò a sollevare i calzoni e passandole accanto senza sfiorarla, come se la vedesse davvero, con gli occhi, uscí dal bagno.

Pensava: perché questa stanchezza che mi prende anche se mi piace sentirmela cosí calda addosso ma ogni volta questo istinto di trovare una scusa senza offendere senza deludere come se fosse tutto cosí incredibilmente faticoso.

Ahi... cosa c'è qui?

Annalisa si scostò da lui, inarcando la schiena. Si tirò indietro, quasi inginocchiata sul sedile, per lasciargli il modo di sfilare le braccia da sotto i fianchi, anche se le sue gliele tenne ancora attorno al collo, le mani allacciate dietro la nuca, come per paura che potesse scapparle. Vittorio sfilò la pistola dalla fondina che aveva alla cintura e si chinò in avanti per aprire lo sportellino del cruscotto. Lo fece a fatica, perché lei non lo mollava, ma riuscí a chiuderci dentro la pistola. Avrebbe voluto allungarsi ancora per abbassare la radio, che pure si sentiva appena, ma la manopola del volume era troppo lontana.

Ma la devi portare sempre quella roba?

No... è un'abitudine. Mi dimentico di averla.

Ma ti serve? Io starei piú tranquilla, senza.

Anch'io... ma l'assicurazione no. E i premi per i rappresentanti di gioielli sono già abbastanza alti.

E la useresti? Se ti capitasse... spareresti a un uomo con quella?

Pensò: i due tizi in autostrada mai con questa pistola e mai in quel modo c'è sempre il modo giusto sempre.

Pensò (velocissimo, appena un'immagine, e chissà perché in bianco e nero): braccio teso *Tum!* lo schianto del proiettile contro l'osso della tempia le labbra che si arricciano come per un sapore aspro mentre la testa si piega di lato crollano le gambe giú il braccio un altro colpo quando è a terra *Tum!*

No... non lo so. Ma credo di no.

Sí, lo credo anch'io. Non sei il tipo. Se capita lasciagli tutto il campionario e chi se ne frega.

Annalisa si mosse sul sedile. Gli strinse le braccia dietro il collo e scivolò a sedere sulle sue gambe, passando agile tra il cambio e il freno a mano. Lo schiacciò contro lo schienale, baciandolo come faceva lei, vorace e a bocca aperta, come se volesse mangiargli le labbra. Vittorio la strinse, fece scorrere le mani sul tessuto ronzante delle calze, le infilò sotto la gonna e sotto la maglia, fino a sentire l'elastico teso delle mutandine e la pelle calda della schiena, e intanto pensava: c'è qualcosa una cosa qualcosa c'è qualcosa che lo aveva distratto, che aveva perso nella memoria e che in quel momento non riusciva a recuperare.

Nell'auto la luce dei lampioni arrivava filtrata dalle foglie degli alberi del parco e riusciva soltanto a schiarire la penombra. Brillava livida sui contorni delle cose e non illuminava, rendeva solo il grigio piú grigio e il nero piú nero, dandogli sfumature quasi blu. Anche la musica che usciva dalle casse sembrava avesse sfumature grigie e blu. Una tromba bassa e fumosa, appena percettibile, velata dal sottofondo del contrabbasso che ogni tanto l'avvolgeva.

Ma tu mi desideri?

Vittorio capí cos'era che lo aveva distratto. Era il suo accento. Lieve, lievissimo, nascosto.

Sí che ti desidero... non si sente?

Ma tu mi vuoi?

Certo che ti voglio.

Ma tu mi ami?

Vittorio si sporse in avanti e la baciò, lasciando che Annalisa ricominciasse a divorargli la bocca. Le infilò una mano sotto le mutandine e anche se l'elastico dei collant gli strangolava il polso spinse piú a fondo fino a raggiungere la curva della natica e piú giú. Annalisa gemette, schiacciandosi contro di lui, poi alzò una gamba e gli montò sopra, agile e svelta. Vittorio sfilò la mano che le teneva sotto la maglia, sulla schiena, e cercò la leva per abbassare il sedile.

Stava pensando: quello mi manca un po' d'accento ma molto di piú del suo un accento emiliano ma che non sia proprio di Bologna perché sarebbe scontato come il suo va bene.

E poi: trattiene le esse e le elle e ha solo un po' di cantilena ma io molto di piú molto di piú dopo la faccio parlare cosí la sento.

Lo schienale non arrivava fino in fondo ma riusciva a scendere abbastanza. Annalisa continuava a baciarlo, muovendosi per assecondare le sue dita, poi si fermò, all'improvviso, gli afferrò il polso e gli tolse la mano da sotto la sottana. Si alzò su di lui, a sedere, e Vittorio sapeva cosa avrebbe dovuto fare, cosí cominciò a slacciarsi la cintura, mentre Annalisa si levava una scarpa, una sola, e rapida si sfilava i collant, liberando solo una gamba. Lo aiutò a abbassarsi i calzoni, fece lo stesso con i boxer e si schiacciò su di lui, calda e ruvida per il pizzo bianco delle mutandine.

Vittorio la guardò, bionda, minuta, gli occhi chiusi e un labbro stretto tra i denti. Era carina, Annalisa, niente di piú, ma in quei momenti sembrava bellissima. Erano le ombre che la luce lontana dei lampioni disegnava sul suo volto, la penombra che lo sfumava in un'espressione sensuale e misteriosa, appena nascosta dai capelli che le erano scivolati sugli occhi. Si muoveva piano, sfregando ruvida, come seguisse il ritmo lento della musica, fumoso e assorto come lei. C'era una voce di donna, adesso, una voce di donna che cantava appannata dalla distanza, e cantava come sorridesse. Si alzava e abbassava come cercasse di seguire le scale zoppicanti di un pianoforte, ma distrattamente, senza voglia.

Annalisa si stese su Vittorio, senza baciarlo, solo il tempo di tirarsi giú le mutandine e sfilare anche quelle da una gamba. Poi si alzò di nuovo, si mosse ancora su di lui, calda e nuda, staccandosi appena quando abbassò una mano per cercarlo, per prenderlo e aiutarlo a entrare. Vittorio sentí male, un attimo solo, come sempre, poi non piú.

Pensò: ecco adesso vorrei che continuasse in eterno e finisse subito.

Pensò (confuso): il suo accento il suo accento ma molto di piú la faccio parlare dopo.

Infilò di nuovo le mani sotto la sua sottana e le strinse la pelle nuda dei fianchi, aiutandola a muoversi al ritmo che lei voleva. La voce della donna era diventata piú roca, piú sgranata, e sembrava non volesse piú seguire il pianoforte ma la tromba, che ogni tanto tornava. Anche cosí lontana, anche cosí diversa, si sentiva ancora che continuava a sorridere.

Pensò: bellissima bellissima sí.

Pensò: il suo accento mi serve un naso rotto la

canna di porcellana di una Heckler and Kock questo mi serve.

Vittorio inarcò la schiena e la pelle delle sue natiche si staccò da quella del sedile con uno strappo che quasi gli fece male. Tolse le mani dai fianchi di Annalisa e gliele premette sulle spalle, seguendo il movimento di lei.

Pensò: quando quando ora quando adesso posso ora o aspetto quando adesso quando.

Pensò: Dio non ce la faccio ora.

Annalisa gemette e si schiacciò su Vittorio, afferrandogli la testa e aprendo la bocca sulle sue labbra, per baciarlo. Continuò a muoversi mentre lui fremeva, le natiche contratte e la schiena che si inarcava, a scatti, e cercava di resistere e restare cosí finché non fu piú possibile e scivolò fuori, umido e morbido, schiacciato dall'ultimo colpo, che un po' gli fece male.

Annalisa lo baciò ancora, un bacio leggero questa volta, tenero, a labbra chiuse, e si lasciò scivolare accanto a lui, sul sedile. Allacciò di nuovo le mani dietro la sua nuca e lo tenne abbracciato, la testa bionda appoggiata alla spalla, finché Vittorio non cominciò a muoversi, perché aveva freddo, cosí con i calzoni e le mutande giú sotto le ginocchia, e si sentiva un po' ridicolo, anche, come sempre, dopo. Annalisa si spostò sul sedile, aprí il cruscotto e tirò fuori un pacco di fazzolettini di carta. Si pulí in fretta e ne passò uno anche a Vittorio, e prima ancora che lui avesse finito anche solo di asciugarsi lei era già pronta, le mutandine a posto, i collant infilati, la maglia stirata sul seno e gli occhiali dalla montatura leggera di nuovo sul naso. Stava anche raccogliendosi i capelli per legarli con un elastico che teneva tra i denti, e Vittorio pensò che era cosí, bionda e provocante, con i capelli lisci stretti in una coda e gli occhiali sottili che doveva essere quando era al lavoro, in biblioteca, a Ferrara. Per bene, maliziosa e intellettuale allo stesso tempo.

Alla radio, la musica era cambiata. La donna che cantava sulla tromba e il pianoforte non c'era piú. Qualcuno aveva parlato per un po', sul silenzio, parole incomprensibili, a voce monotona e bassa, poi era arrivato un altro brano, lontanissimo, appena soffiato fuori dalle casse nella penombra grigia e blu. Triste, già lo si capiva dalle prime note. Triste.

Il ventre indolenzito gli fece pensare: domani tutta l'acqua che dovrò bere domani tutta quell'acqua.

Pensò: devo farla parlare ascoltarla parlare.

Annalisa si tolse anche l'altra scarpa e allungò le gambe su Vittorio, che si stava riallacciando la cintura. Gli prese la mano e se la appoggiò su una coscia.

Mi spieghi perché finiamo sempre per farlo in macchina come due ragazzini? Trenta tu e ventinove io e qui a Ferrara ho un appartamento da sola. E invece dopo il cinema ci fermiamo un attimo nel parcheggio sotto le mura e zac. Perché?

Pensò (velocissimo) in macchina il modo migliore lui seduto impegnato chiavi in mano l'unica via di fuga verso di te che spari.

Vide (velocissimo): il lampo, lo schizzo di sangue sul finestrino di fianco, gli occhi che si rovesciano all'indietro, bianchi, bianchi, bianchi.

Forse perché siamo ancora dei ragazzini.

Annalisa annuí, improvvisamente seria. Appoggiò un piede sulla cerniera dei suoi pantaloni e spostò la mano di Vittorio piú su sulla coscia, ma era soltanto un gesto, distratto e privo di intenzione.

È questo il guaio. Stiamo vivendo come due ragazzini. Noi non siamo fidanzati, siamo due single che stanno assieme.

Non è vero. E poi non cambierebbe niente. Io sono sempre via per il lavoro...

Lo so, ma sarebbe diverso se...

Se cosa? Se convivessimo?

No, non è questo. È...

Annalisa parlava sempre piano, come se aspirasse le parole e le soffiasse fuori, tenendole in sospeso su una emme sottile e lunga, come un mugolio.

Pensò: non cosí non cosí gentile però su e giú con la cantilena non come un veneto ma un po' le e chiuse non come un veneto le esse grosse non come un romagnolo ma un po' le elle piene quasi doppie come a Ferrara.

Senti?

Vittorio alzò la testa dallo schienale. Si guardò attorno e piegò il mento su una spalla, per vedere fuori dal finestrino.

Senti cosa?

Questa canzone che c'è alla radio.

Annalisa si mosse veloce e alzò il volume. Poco, ma abbastanza perché si sentisse chiaramente.

Ti ricordi? Era la sigla del commissario Maigret in Tv, con Gino Cervi. Ogni tanto lo ridanno. Lo senti cosa dice?

No. Cosa dice?

Dice «Un giorno dopo l'altro la vita se ne va». Che coincidenza, eh? Ecco io non voglio che sia cosí.

Coincidenza di cosa? Cosí cosa?

Io voglio che tutto questo abbia un senso. Che ci sia un progetto, qualcosa che verrà e non che tutto scorra cosí, un giorno dopo l'altro. Tu stai via e poi quando torni ci vediamo, andiamo al cinema, facciamo l'amore e poi tu riparti...

Lavoro, lo sai. Sono sempre in giro.

Non è quello. Non è che non ci sei mai o che non mi telefoni mai e che quel cavolo di telefonino lo tieni sempre spento. È... è un progetto. Qualcosa.

Vittorio strinse le labbra, guardando fuori dal parabrezza. Ci doveva essere un po' di vento, perché le foglie dell'albero che avevano davanti si stavano muovendo, fuori sincronia con la musica.

Ma io ce l'ho un progetto.

Ce l'hai?

Pensò: sí.

Sí, ce l'ho.

E riguarda anche me questo progetto?

Pensò: no.

Sí, riguarda anche te.

Annalisa sorrise e si spinse in avanti per baciarlo, mentre la mano di lui saliva involontariamente fino alle mutandine. Anche Vittorio si spinse in avanti per raggiungere le sue labbra, mentre il piede di lei gli scivolava sulla pancia, e quel peso, schiacciato contro il suo ventre, lo fece pensare di nuovo a tutta l'acqua che avrebbe dovuto bere il giorno dopo.

Quando mi succede, dopo mi sento un coglione.

Non per la cosa in sé, perché a parte i sensi di colpa tipo diventi cieco, Gesú piange e alla tua età guarda che schifo, a parte tutto, chi se ne frega. Ma è il come che mi fa sentire male. Il perché.

Sono sul divano a fare zapping, uno zapping teso e un po' isterico perché il telecomando non funziona bene e devo premere giú con l'unghia i tastini di gomma, tre o quattro volte, anche, poi aprire lo sportellino per far girare le pile. Cambio canale a raffica, mi fermo solo quando il tele si inceppa. Non guardo niente di preciso, anzi, non guardo niente punto, a parte quando mi sorprendo fisso su una televendita, su un telechiromante o una telenovela e non so neanch'io perché.

Una volta ho letto il racconto del mio amico Andrea che vuole fare lo scrittore che parlava di un divano come quello in cui sto seduto. La pelle del divano, a contatto con il sudore dello studente che ci stava sopra produceva un enzima ipnotico che ti impediva di alzarti per fare qualunque cosa. Be', se quel divano esiste deve essere questo. Non so da quanto tempo sono afflosciato dentro questo abbraccio color mattone, rugoso, liso e screpolato. Ogni tanto sento il bisogno di alzarmi, una smania elettrica che mi attraversa i nervi ma che svanisce subito, lasciandomi piú stanco di prima. Allora cambio canale, salto come uno stambecco tra telequiz e telefilm e finisco per inchiodarmi su un poliziottesco anni Settanta tipo *La Polizia spara* o su un *Pierino* con Bombolo e Cannavale, e quando mi accorgo che lo sto guardando cambio. È mentre faccio cosí che mi succede.

Passo attraverso Mtv e non ho voglia di ascoltare musica, ma il tasto mi si inceppa. C'è una tipa che canta, una biondina carina tipo Britney Spears o una cosí, che miagola una canzoncina pop da quindicenni. Non me ne frega niente, ma mentre pigio e spingo e schiaccio mi viene da guardarla un attimo in piú e mi accorgo che sta seduta proprio come stava seduta Kristíne. Con le gambe sollevate, i talloni agganciati al bordo della sedia e le ginocchia schiacciate contro il petto. Muove le dita dei piedi al ritmo della musica e mi guarda attraverso i capelli che le sono scivolati sugli occhi. Mi sorride, Kristíne, e un dito freddo mi si pianta nella pancia, tra lo stomaco e il cuore, e mi avvicino senza dire niente, le prendo la testa ed è la prima volta che la bacio. Ha le labbra secche ma calde, caldissime, ed è quello il ricordo che mi prende in quel momento e mi fa un certo effetto. Mi fisso sulla biondina carina, la seguo mentre si alza e balla in una scenografia di cubi assurdi e mi viene in mente che i jeans che indossa sono quasi come quelli di Kristíne quella volta, stretti, a vita bassa, scampanati in fondo, piú chiari quelli di Kristíne, meno di marca, sicuro, lisci e freschi quando alzandosi mi ha sfiorato le gambe, perché era quasi estate e io avevo i bermuda. Mentre ci penso l'effetto continua, si fa piú forte e mi preme attorcigliato contro l'elastico delle mutande e devo infilarmi una mano dentro i calzoni per sistemarmelo, stenderlo e liberarlo dal groviglio doloroso di peli tirati e stoffa. Tengo lí la mano, chiudo gli occhi e voglio restare lí, a cercare Kristíne in quella sensazione che mi strappa e mi spinge dentro come un pugno chiuso, e la trovo, sollevata sulla punta dei piedi per stringermi le braccia attorno al collo, le labbra calde e secche, e la sua lingua che si muove veloce e insistente come non credevo. Mi slaccio la cintura, sgancio il primo bottone dei calzoni e sollevo l'elastico dei boxer con il pollice, per dare spazio al polso. Se entra il Morbido, se arriva la signora dell'affitto, se resto cieco o Gesú piange, chi se ne frega. Apro gli occhi per un momento, per cercare nella biondina qualcosa di Kristíne, che mi sta sfuggendo, che sta scivolando via, qualcosa per trattenerla prima che torni a essere un ricordo, forte ma inutile, e la trovo in un sorriso malizioso, in un modo strano di piegare la bocca che di nuovo mi fa venire in mente le labbra di Kristíne, e con quello mi rovescio sul divano, affondo la faccia nella pelle lisa e rugosa e lí resto, a respirare polvere, fino alla fine.

Poi, naturalmente, mi sento un coglione. Un po' perché nel frattempo il video della biondina è passato e al suo posto c'è la pubblicità di un disco di Gianni Morandi e io mi sento ridicolo messo cosí davanti al Gianni formato primo piano che ride. Ma soprattutto perché non volevo, giuro, avevo detto che non lo avrei fatto piú cosí, che non mi sarei piú trovato ad ansimare freddo e appiccicoso in questo vuoto feroce, senza Kristíne, senza le sue labbra e senza neppure piú quel calore gonfio e pulsante che mi premeva sulla pancia e nella mano. Ho voglia di piangere. Mi viene in mente un film visto da piccolo, dove c'era un bambino disperato, non mi ricordo piú per cosa. Era su un letto, con la faccia contro il cuscino, e la voce fuori campo diceva «Pianse cosí tanto che si addormentò». Cosí vorrei fare io. Cosí.

È il Cane a scuotermi. Forse sente uno strano odore, perché si avvicina al divano e infila il muso a punta nei miei calzoni sventrati. Lo spingo indietro con le mani mentre mi chiudo su me stesso, contratto da un solletico forte che è allo stesso tempo di sorpresa e di paura. Lui insiste, spingendo come un chiodo e allora mi alzo, tenendomi su i calzoni con la mano, piegato all'indietro perché la punta ancora sensibile mi striscia contro il rigonfiamento della lampo. Non so che fare né dove andare e lui ne approfitta: mi si attacca alla gamba, mi aggancia il ginocchio con le zampe di sopra e comincia a menare colpi contro il mio polpaccio, curvo come una banana, il muso appoggiato alla mia coscia e gli occhi chiusi, come se si fosse già riaddormentato. Mi sento ridicolo, di piú, mi sento disperato e di colpo questa sensazione diventa insopportabile. Non straziante, dolorosa o feroce. Insopportabile.

Urlo «Basta!» con tutto il fiato che ho in gola. Un urlo secco come un'esplosione, che resta a bruciarmi sulle corde vocali.

Il Cane si stacca e ricade sul pavimento. Gli cedono le zampe e atterra sulla pancia con un rumore spiacccicato. Mi affretto a tirare su i pantaloni e a stringere la cintura, casomai arrivasse qualcuno richiamato dall'urlo che deve essersi sentito in tutto il palazzo. Non arriva nessuno, neanche il Morbido che sta studiando nell'altra stanza, oltre il corridoio. L'unico che sembra avermi sentito è il

Cane, che mi guarda dal basso, schiacciato per terra, e ha un'espressione spaventata negli occhi.

E di nuovo provo una sensazione insopportabile. Mi sembra di avere gridato basta a Kristíne, basta a tutta la mia vita, alla mia vita di adesso, a quello che sono ora. E io non voglio dire basta a Kristíne. Cosí, capisco che ho solo due alternative, due soltanto.

O mi butto per terra e piango tanto fino ad addormentarmi, anzi, fino a morire. O faccio qualcosa.

Faccio qualcosa. Chiudo la lampo ignorando il fastidio freddo che mi appiccica la pelle del ventre alla maglietta ed esco in corridoio, dove c'è il telefono. Dovrei leggere i numerini sul contascatti per annotare la differenza a fine chiamata, soprattutto adesso che sto componendo il numero di un cellulare ma so già che non lo farò. È da un pezzo comunque che gli scatti sul quaderno non corrispondono piú a quelli sul contatore.

Aspetto, a lungo, ma alla fine risponde.

– Luisa? Ho bisogno di te, per favore. No, non è quello che pensi... Mi devi aiutare a fare una cosa.

L'uomo che sta salendo al settore accettazione della Malpensa ha l'aria di non essere mai stato su una scala mobile. La ragazza al bancone informazioni lo guarda comparire pezzo per pezzo sulla linea dell'orizzonte di marmo del primo piano. Attaccato al corrimano, instabile ma deciso, attento allo spigolo dentato di ogni gradino che scompare incassato nella griglia di ferro, traballante ma pronto, preparato con ostinata rassegnazione ad affrontare anche questa. Lo vede fare un salto, un saltino rigido e zoppicante, fermarsi quasi con un sospiro di sollievo sul marmo fermo del pavimento, spostarsi di lato con uno scatto che gli strappa una smorfia dolorosa quando una donna, da dietro, lo spinge per passare. Deve avere settant'anni, o sessanta portati male, o addirittura cinquanta portati malissimo, o meglio, piú che portati male, usati, usati molto. Le ricorda suo nonno, metallurgico specializzato alle officine Falk di Bergamo.

Ha un foglietto in mano, e piú che leggerlo sembra fissarlo perché sia lui a parlargli. Cosí lo chiama, gli fa proprio un cenno e lo aspetta paziente finché non si è avvicinato. Volo Az-4875 per Francoforte. Banchi Alitalia dal 25 al 32. Per carità, non c'è di che, dovere. E gli sorride anche, non la solita paresi bianchissima che riserva agli utenti, ma un sorriso vero.

La ragazza al check-in numero 27 lo vede arrivare, rigido, il sedere proteso all'indietro, una mano agganciata alla tracolla della borsa di plastica e l'altra stretta attorno al manico della valigia. Ha già inquadrato il tipo: volenteroso, disponibile, pronto a fare tutto quello che gli si chiede, ma incasinato, imbranato, inesperto. Deve essere la prima volta che entra in un aeroporto. No, quella la può portare a mano. Metta la valigia sul rullo, in piedi, stesa, come vuole, non importa. In piedi. Sí, meglio stesa, come vuole. No, niente documento, non c'è bisogno. L'Iberia glielo chiederebbe, loro ce l'hanno per regolamento, ma l'Alitalia no.

Perché parla cosí tanto? Di solito strappa, scrive, imbusta, chiede corridoio o finestrino, e nient'altro. Quel lavoro non le piace. E allora perché parla? Forse perché le ricorda suo nonno, padroncino di una fabbrichetta in un paesino in provincia di Varese, ma a differenza di lui, duro e fatto tutto da sé, sempre, questo ha un'aria smarrita che le fa tenerezza. Come se fosse lei quella grande, quella che capisce. E alla fine oltre a cerchiare piú volte sul biglietto il *gate* e l'ora di imbarco, si sporge anche oltre il bancone a indicargli dove andare, lí, proprio lí, dietro l'angolo. Sí, ma non subito, aspetti ancora un quarto d'ora che non hanno ancora aperto.

Il ragazzo del bar lo vede lasciare il check-in e capisce subito che verrà da lui. È rimasto un momento fermo in mezzo all'androne dell'aeroporto, poi ha fatto scivolare lo sguardo sulle poltroncine del settore d'attesa, tutte occupate, e quando lo ha alzato e ha visto il bar gli è sfuggito un sorriso. Certo, quello delle sue parti, del suo quartiere o

del suo paese, deve essere diverso da quella micro-
citazione hopperiana in verde e nero, incassata tra
il giornalaio e il punto Tim, sotto una banana fo-
sforescente al neon, ma un bar è sempre un bar, e
anche lui che ci lavora dentro da meno di un anno
ne sa qualcosa. Una volta no, solo un caffè o un
aperitivo con gli altri, in fretta, ma adesso, quando entra in un bar, uno qualunque, un po' si sente
a casa. L'uomo però lo stupisce. Si aspettava che
gli ordinasse un bianchino, una birretta, al limite
un caffettino, invece chiede una bottiglietta d'acqua naturale e la beve praticamente d'un fiato, ver-
sandola due volte nel bicchiere di plastica trasparente. Ha un'espressione affaticata, quando ha finito, quasi dolente, e ansima, anche, fischiando un
po' dal naso rotto.

Entra nel suo angolo visuale quasi subito, appena lasciata la cassa dove ha fatto lo scontrino,
ma non ci sarebbe motivo di notarlo, vecchio, massiccio, rigido, appena zoppicante, se non fosse che
prima punta diritto verso l'ingresso alla zona d'imbarco, poi, all'improvviso, si ferma e si mette a frugare dentro la borsa che porta a tracolla. L'agente
smette di parlare con la collega seduta davanti al
monitor del metal-detector e lo guarda, lo vede tirare fuori una busta gialla, lo vede puntare verso
la fila di americani che scaricano le tasche nei ce-
stini di plastica intrecciata da far passare sotto i
raggi x, lo vede attendere il suo turno, fremendo,
e a quel punto si stacca dal tavolino della collega,
dove stava appoggiato con mezzo sedere, e fa un
passo avanti, la mano tesa, perché quello si è infilato sotto il portale dei raggi, dritto come un fuso,
senza neanche togliersi la tracolla.

Gli sembra che piú che il grido elettronico dell'allarme sia stato il suo alt a braccio teso a bloccarlo, a spaventarlo, anzi, e questo gli dispiace. Lo vede rattrappirsi, girarsi, sbattere nell'americano che lo segue, alzare la testa, guardarsi attorno senza sapere che fare. Buono, buono, non si muova. Torni indietro, ecco, bene, metta la borsa sul rullo, cosí. Tutti gli oggetti di metallo in quel cesto, le chiavi, gli spiccioli, il cellulare... Un'occhiata al monitor, alla borsetta da ginnastica radiografata dalla collega. Occhiali, medicine, chiavi, una rivista, un coltellino tipo svizzero, qualcosa che assomiglia a una maglia. Sí, anche gli spiccioli nel cestino, grazie, cosí, sul rullo.

L'allarme suona ancora. Questa volta però l'uomo non si spaventa. Scuote la testa, rassegnato, e allarga le braccia, stringendosi tra le spalle come per dire che non è colpa sua, che è inevitabile. Non si ferma e non torna indietro, punta sull'agente, rassegnato, dispiaciuto, ma deciso, tendendo la busta e intanto spiega che suo figlio glielo aveva detto che avrebbe suonato e infatti gli ha dato questo perché lui non ha mai preso l'aereo prima e insomma non è pratico. L'agente prende la busta, aperta, e ne sfila fuori una radiografia e due fogli di fax, uno in italiano e uno in tedesco. Guarda la radiografia, le sagome sfocate e chiare di quelle che sembrano una caviglia e un piede, e intanto l'uomo continua a spiegare, insistente e ansioso, che suo figlio sta in Germania, a Francoforte, e fa l'ingegnere, e lui è la prima volta che lo va a trovare, e non è pratico, e dato che c'ha questo ferro nella gamba per un incidente in fonderia, tanti anni fa, e suo figlio è sicuro che suona, allora gli ha fatto questo foglio per la Polizia, perché non è pratico, lui, è la prima volta.

L'agente guarda il foglio, piú che leggerlo, perché sotto «Alla cortese attenzione delle autorità competenti» c'è scritto quello che il vecchio gli sta dicendo con quell'accento, quella cantilena aperta e strascicata, con quelle esse spesse e quelle elle che sembrano agganciarsi e allungarsi, gonfie. Rimette tutto nella busta, annuendo, va bene, va bene, stia tranquillo, ogni tanto succede, infatti. Prende il sensore a racchetta che sta sul tavolo, accanto alla collega, e lo passa sul vecchio, che alza le mani, istintivamente. Suona solo vicino alla caviglia destra, come è giusto. Gli restituisce la busta. Gli dice che può riprendersi tutto, e mentre lo guarda infilarsi le chiavi e gli spiccioli nelle tasche pensa che avrebbe voglia di chiedergli un sacco di cose, come si è rotto il naso, se ha alzato ancora le mani cosí durante la guerra, se viene da Modena come suo nonno, appuntato nella Stradale fino alla pensione, che parlava non proprio cosí ma quasi. Perché va a trovare suo figlio da solo. Dov'è sua moglie. Se c'è ancora. Invece non gli chiede niente. Aspetta finché non si è infilato la borsa a tracolla, tutto a posto, stia tranquillo, può andare, e anche se non ha il berretto e non lo fa quasi mai, lo saluta con la mano alla visiera e sta a guardarlo avvicinarsi zoppicando fino alla prima porta del wc.

Vittorio entrò nel bagno, si mosse veloce fino all'ultimo séparé e si chiuse dentro. La vescica gli scoppiava per tutta l'acqua bevuta fin dalle prime ore del mattino, ma non pisciò. Avrebbe voluto voltare addirittura le spalle alla tazza, per non cadere in tentazione, ma gli serviva, cosí abbassò l'assicella e il coperchio e ci appoggiò sopra il piede destro. Si tolse una scarpa, rapidamente, e si sfilò il calzino. Attaccato al piede, avvolto da due giri stretti di nastro adesivo, c'era il carrello in metallo di una Glock calibro 40, con dentro la canna e la molla dell'otturatore. Tagliò il nastro col coltellino svizzero che prese dalla borsa, senza curarsi dei due solchi paralleli, bluastri e rosso sangue, che la pistola gli aveva scavato sul fianco del piede.

Pensò: meglio cosí non mi dimentico di zoppicare.

Abbassò la zip del giubbotto, sbottonò la camicia, infilò dentro una mano e da sotto l'ascella, in mezzo all'imbottitura che gli fasciava il corpo, tirò fuori il resto della Glock. Fusto, impugnatura e caricatore, tutto in plastica, invisibile al metal-detector della Polizia. Agganciò il carrello al fusto e lo fece scorrere un paio di volte, spingendo in basso la levetta sul lato sinistro dell'automatica, per liberare l'otturatore, e fece scattare il grilletto a vuoto, due volte. Sollevò ancora piú su la gamba dei pantaloni, sopra il ginocchio, scoprendo una fila di proiettili attaccati al polpaccio da un giro di scotch. Tagliò anche quello con il coltellino, sfilò il caricatore dal calcio della pistola e lo riempí con i proiettili, uno dopo l'altro.

Pensò (veloce): la canna di porcellana di una Heckler and Kock prototipo troppo difficile da trovare.

Pensò (velocissimo): anche i proiettili di porcellana non importa meglio cosí.

Fece scorrere l'otturatore, facendo salire il colpo in canna. Stese il braccio destro, chiudendo un occhio. Tre pallini bianchi. I due delle tacche di mira ai lati, piú indietro, quello del mirino al centro, sulla croce formata dai solchi di quattro piastrelle. Riaprí l'occhio. Tenendolo fermo con il pollice, abbassò il cane della pistola. Poi sollevò il giubbotto e la infilò dietro la schiena, dentro la cintura.

Fuori dal bagno si accorse che non aveva nessun bisogno di ricordarsi di zoppicare. A parte la scarpa destra, che a differenza della sinistra aveva imbottito male e troppo in fretta, la vescica lo faceva impazzire. Tirava come volesse scoppiare, costringendolo a tenere indietro il bacino e camminare a scatti. Per un momento pensò che avrebbe potuto tornare nel bagno e vuotarsi un po', soltanto un po', ma sapeva che poi non sarebbe riuscito a fermarsi. Allora strinse i denti, perché la sala Club freccia alata dell'Alitalia era lontana, oltre il duty-free, le camicie di Calvin Kline e le cinture di Gucci.

L'uomo che sta attraversando il corridoio deserto e silenzioso del settore riservato dell'aeroporto Malpensa sembra avere un brutto problema di prostata. Cammina male e si guarda attorno come se cercasse qualcosa, una smorfia di sofferenza sul volto segnato dal naso rotto. A Calazzo, seduto sulla prima poltroncina di una fila appoggiata al muro color crema, sembra proprio che si sia perso. Non c'è nient'altro alla fine di quel corridoio se non la porta che ha a fianco, quella della sala riservata ai soci del Club freccia alata, ai possessori di un biglietto in classe Magnifica, ai parlamentari e alle categorie aventi diritto, e quello non sembra appartenere a nessuna categoria privilegiata, anzi, sembra suo nonno che faceva il contadino nella campagna vicino a Lecce. Tornerà indietro, pensa Calazzo, e intanto solleva un braccio a fatica, legato dalla giacca del completo troppo stretta per i suoi deltoidi gonfi di palestra e per la

Beretta 92 nella fondina sotto l'ascella, e schiaccia un dito sull'auricolare che tiene incastrato nell'orecchio, pronto a chiamare Bonetti, perché l'uomo non torna indietro ma si avvicina, proprio come se volesse parlargli.

Gli chiede se sa dov'è un gabinetto.

Non lo sa. Normalmente risponderebbe di no, e neanche a parole, solo un cenno della testa riccioluta e lucida di gel, ma per quell'uomo si piega in avanti e gli indica il fondo del corridoio, lí da dove è venuto.

L'uomo si volta, girando rigido sul busto, poi soffia, spalancando gli occhi. Ostia, Dio bono, fin laggiú. Non so mica se ci arrivo, me la faccio addosso. Quella porta cos'è? Ci sarà pure un bagno lí. Mi tiene d'occhio la borsa, per favore?

Calazzo vorrebbe fare molte cose insieme ma non riesce a fare niente di sensato. Guarda la borsa che atterra sulla poltroncina accanto a lui, schiaccia l'auricolare sul timpano avvicinando la bocca al filo col microfono, dice Bonetti, poi no, aspetti un momento, lí non si può entrare cosí.

La porta che si apre inquadra un uomo che non c'entra niente. Mentre si alza dalla sua poltrona di pelle, facendo forza sui braccioli imbottiti che sanno di tabacco dolce, Bonetti pensa tre cose. Cazzo fa Calazzo fuori, Chi è questo, e Nonno Gustavo. Non ha ancora fatto un passo sulla moquette e vede l'uomo che non c'entra niente afferrato per le spalle dalle mani enormi di Calazzo, lo vede tirato indietro sulla soglia, scrollato, gli vede la bocca aprirsi in una smorfia di sorpresa, poi di dolore, poi di offesa. Scatta in avanti e allunga un braccio per afferrargli il gomito e tenerlo su prima che perda l'equilibrio, e intanto dice molla Cala', per

Dio, a cuccia e torna fuori, mentre con l'altra mano ferma Rivalta che si è alzato dal suo posto, a
metà sala. Si affretta a lasciare il braccio dell'uomo, che stringe i denti di rabbia, fischiando dal naso rotto, ma prima lo spinge un po', facendolo quasi uscire oltre la porta. Ci scusi tanto, polizia, ispettore Bonetti, favorisca il suo biglietto, per favore.

La responsabile della sala è uscita da dietro il
banco di cristallo nero dell'accettazione. Ha soltanto ventitre anni, ma lí comanda lei e ci sono un
sacco di cose che non le vanno. Non le va che la polizia abbia in pratica requisito il Club per metterci
dentro quel russo biondo che si è piazzato nella poltrona accanto al carrello dei rinfreschi e non ha piú
mollato né le tartine né i liquori. Non le va che
quell'ispettore magro e pelato la faccia telefonare
in continuazione per sapere di quanto ritarda ancora il volo per Leningrado. E adesso non le va che
trattino cosí un uomo anziano che potrebbe anche
essere suo nonno. Cosí si avvicina, decisa, attraversa la sala facendo frusciare veloce la sottana sulle ginocchia, sposta di lato l'ispettore e sorride. Sí,
desidera, ha bisogno di qualcosa, guardi che questa purtroppo è una sala riservata, lei ha un biglietto in Classe Magnifica?

L'uomo non parla, non ci riesce. Apre la bocca
per mormorare qualcosa e allunga il braccio verso
il fondo della sala, lasciando il gesto a metà. Ci sono i bagni in fondo alla sala, la ragazza lo sa e sta
per voltarsi verso quelli, istintivamente, ma anche
il suo gesto abortisce, perché vede gli occhi dell'uomo. Confusi, sbigottiti, spaventati. Non ha mai
visto tanto smarrimento nello sguardo di un uomo
di quella età ed è una cosa che le fa male, che le
stringe il cuore, prima ancora che abbia abbassato

gli occhi e abbia visto la macchia scura allargarsi veloce sui pantaloni chiari del vecchio.

Bonetti fa un passo indietro, come per paura di essere schizzato. L'uomo si copre i pantaloni bagnati con una mano, alza la testa e sembra sul punto di mettersi a piangere. La ragazza lo prende per un braccio e lo tira dentro. Il bagno è qua, venga pure con me, e non si preoccupi, vedrà che rimediamo.

Vittorio si lasciò portare fino in fondo alla sala, cercando di controllare il sollievo che gli alleggeriva il passo in modo innaturale. Arrivò davanti alla porta dei bagni e lí infilò la mano dietro la schiena, stringendo le dita attorno all'impugnatura della Glock.

Pensava: prima il pelato poi il piccoletto a metà poi lo scemo.

Si girò di scatto, mise la mano libera sul collo della ragazza e la spinse di lato, verso Rivalta, che era di nuovo seduto sulla sua poltrona, con una rivista sulle ginocchia. Stese il braccio e sparò due colpi sull'ispettore Bonetti, mandandolo a sbattere contro il muro con la schiena. Si torse sul busto, appena impacciato dall'imbottitura e sparò due colpi su Rivalta, uno al petto e uno in gola, poi si girò di nuovo, allargò le gambe e con l'altra mano afferrò quella che teneva la pistola, dita su dita, pollice su pollice, spingendo. Era sicuro che il terzo poliziotto fosse abbastanza inesperto da precipitarsi dentro ai primi colpi, cosí mirò alla porta, almeno mezzo metro sopra la maniglia, perché se lo ricordava alto, e sparò, uno, due, tre colpi.

Pensava: il biondo.

Vittorio si mosse veloce, nonostante le scarpe troppo grandi. Respirava con la bocca e sentiva

sulla lingua il sapore aspro della polvere da sparo.
Nelle orecchie aveva l'eco ovattato delle esplosio-
ni, grattato appena dal gorgoglio raschiante di Rivalta che si contorceva nella poltrona, le mani
strette sulla gola. L'altro rumore, pungente, a scatti, come un campanello, doveva essere la ragazza
che gridava. L'aveva registrata prima di voltarsi
verso la porta, in ginocchio per terra, a quattro
zampe, innocua e in stato di choc.

Il biondo, invece, era in piedi e lo guardava.
Muoveva la bocca e diceva qualcosa che Vittorio
non riusciva a sentire.

Pensò: cotone nelle orecchie li avrebbe inso-
spettiti era eccessivo la prossima volta forse.

Mirò alla bocca del biondo, il pallino bianco del
mirino sulla sua lingua che si muoveva, come una
caramella. Sparò un colpo che gli staccò di netto
la mascella e un altro mentre cadeva trascinando-
si dietro il carrello delle tartine, abbassando il braccio e mirando alla testa.

Pensava: niente.

Quando uscí dalla sala scavalcando il corpo di
Calazzo, attento a non scivolare sul sangue che si
allargava veloce sul pavimento, il corridoio era ancora deserto, e a parte la ragazza che urlava, gli
sembrava di non sentire altro rumore. Cosí si allontanò, infilando la pistola dietro la schiena, sotto il giubbotto.

La borsa da ginnastica, invece, la lasciò lí.

– Credevano di essere sicuri... e in un certo senso lo erano. In tre, chiusi in una sala... in teoria dovevano essere gli unici ad avere una pistola in quella parte dell'aeroporto. Meglio che giú al posto di polizia.

– Sfiga.

– Sí, sfiga... forse il piccoletto se la cava. Però è facile che resti muto. Capirai, con un calibro 40 in gola... gli ha tranciato tutto.

– Sfiga.

– Sfiga... oh, ma non sai dire altro oggi? Una parola alla volta? C'hai i coglioni girati?

– Sarrina, per favore... ce li ho sí i coglioni che mi girano. Io adesso ero a Cuba, in ferie, steso su una spiaggia di Santiago, a mangiare camarones e a fumarmi un Montecristo numero uno.

– E a trombare come un riccio. Come si chiama quella là?

– Mariana.

– E te la sposi?

– Sí... se riesco a portarla di qua.

– Per me fai una cazzata.

– Ne abbiamo già parlato, Sarri'. Adesso non è il momento.

Sarrina si strinse nelle spalle. Alzò gli occhi allo specchietto retrovisore, mormorò: – E dài, rompicazzo, – e mise la freccia per tornare nella seconda corsia e lasciare strada alla Mercedes che lampeggiava da un po' con gli abbaglianti. Disse anche: – Non dicevo a te, – a Matera, che comunque non lo ascoltava, il gomito puntato sul bracciolo, le dita a giocare con la punta di un sigaro che spuntava dal taschino della camicia di jeans e lo sguardo fisso oltre il finestrino, ai campi che costeggiavano la Milano-Bologna, umidi e grigi di pioggia in arrivo. Sarrina lanciò un'altra occhiata allo specchietto retrovisore e tornò nella terza corsia, senza mettere la freccia. Nello spostare lo sguardo la coda dell'occhio aveva percepito uno spicchio di Grazia, stesa sul sedile di dietro, cosí allungò il collo, per vederla meglio.

– Che fa la bambina, dorme?

– No, non dormo. Penso.

– A chi? A un macho cubano?

– No, a un killer italiano. Oddio... credo.

Grazia si tirò su, distese le braccia sul bordo degli schienali e intrecciò le dita per appoggiarci sopra il mento.

– Non sappiamo neanche questo, – disse. – Non sappiamo proprio niente. Cosa abbiamo di lui?

– Un mucchio di testimoni oculari, – disse Sarrina.

– Inutili, – disse Matera.

Grazia annuí. Un mucchio di testimoni. Si erano precipitati a Milano appena avevano saputo quello che era successo, sicuri che quello fosse il loro uomo, a meno di ammettere che ad ammazzare quattro persone fosse stato davvero un vecchio prostatico e col naso rotto. Avevano raccolto un faldone di sommarie informazioni testimoniali interrogando di nuovo e di persona tutti quelli che erano stati lí. Le impiegate dell'Alitalia, il barista, gli agenti di Polizia al controllo. Erano stati anche in ospedale a vedere se il sovrintendente Rivalta era in grado di dire qualcosa, ma il primario li aveva mandati via. Nei verbali c'erano praticamente le stesse cose, l'anno 2000, addí eccetera eccetera, dinanzi a noi ufficiali di Polizia giudiziaria eccetera eccetera, è presente il tale in atti meglio generalizzato che dichiara quanto segue: ho visto un vecchio prostatico col naso rotto. Grazia aveva interrogato a lungo la responsabile della sala Freccia alata ma anche da lí niente. Niente sulla voce, roca e accentata, contraffatta. Dialetto troppo fuori zona: forse avrebbe potuto sentire gli errori di un falso milanese e da lí ricostruire se fosse siciliano, romano o emiliano, ma niente da fare con un finto ferrarese. Zero sulla reale corporatura: tonico? morbido? muscoloso? ossuto? Troppo imbottito per sentirlo quando lo aveva toccato. Qualcosa sull'altezza. Curvo perché vecchio e massiccio, proporzioni falsate dal ricordo, ricordi sfocati dalla paura. Soltanto al terzo tentativo Grazia era riuscita a farle mimare la scena senza che si interrompesse per scoppiare a piangere, e ne aveva ricavato una misura approssimativa: da uno e settantacinque a uno e ottanta. A tutto questo si potevano aggiungere i risultati dell'esame del Dna sulla sigaretta gettata dall'uomo davanti alla casa di Barracu. Una fila di barre nere su un foglietto bianco. Risultato 1, impronta genetica: inequivocabile come quelle digitali ma inutile senza qualcosa con cui confrontarla. Risultato 2, sesso: maschile. Altro: niente.

– Abbiamo la borsa, – disse Matera. Grazia staccò il mento dalle mani per guardare di lato, sul sedile accanto. Infilata in un sacchetto di plastica trasparente c'era la borsa da ginnastica del vecchio. Rettangolare, bianca e rossa, senza una marca precisa. Vecchia. Appuntato sul sacchetto, come il peso della verdura al supermercato, un elenco di quello che conteneva. Ogni cosa rimessa a posto dopo che la Scientifica di Milano l'aveva esaminata per le impronte digitali. Avevano fatto un casino per riuscire ad averla, quella borsa. Non era bastato il dirigente e aveva dovuto chiamare il magistrato della Dia, e chiederlo come favore personale.

– Non c'è un cazzo nella borsa, – disse Sarrina, tornando in seconda corsia. Accelerò di scatto per attaccarsi alla Bmw che lo aveva appena superato e tormentarla con una raffica di abbaglianti. – Nessuna impronta digitale su niente e il collega della Scientifica dice che la borsa sembrava passata in lavatrice.

– Può esserci un pelo... – disse Matera, – o un frammento di pelle nella cerniera.

– Non c'è un cazzo in quella borsa.

Grazia tornò ad appoggiarsi al suo schienale. Avrebbe voluto tirare su i piedi ma aveva gli anfibi e non aveva voglia di toglierseli e non voleva neppure sporcare il sedile dell'auto, che era a noleggio perché era un'auto civetta. Le prendevano sempre a noleggio, cambiandole ogni volta perché la criminalità organizzata non riuscisse a segnarsi le targhe e i modelli. Anche se in questo caso l'incognito non aveva molta importanza. Non sapevano neppure da chi tenersi nascosti.

Decise di sedersi per bene, da brava bambina, tirò giú il bracciolo che divideva i posti e ci mise sopra il gomito. Puntò un dito al centro della guancia e cominciò a mordersi l'interno della bocca. C'era qualcosa che non funzionava. Le era venuto in mente all'improvviso ma era stato un pensiero cosí veloce che non era riuscita a focalizzarlo e lo aveva perso. Adesso era una sensazione, una sensazione irritante che a ogni secondo che passava si confondeva col fastidio di non riuscire a ricordare. Sbagliato insistere. Quando succedeva cosí, lo sapeva, era come con le canzoni o con i nomi degli attori, quando succedeva cosí pensarci, concentrarsi, era peggio. Il ricordo spariva per sempre. Meglio cambiare argomento e aspettare che tornasse fuori da solo.

– Dobbiamo chiedere un'analisi sui mandanti, – disse a voce alta, praticamente tra sé, senza preoccuparsi di mangiarsi la bocca e le parole. – Che cosa accomuna Jimmy Barracu a questo imprenditore russo che rimandavamo indietro come indesiderabile? Che mafia c'è sotto? La nostra o quella russa? È un favore di una cosca a un'altra?

– Sono in riserva, – disse Sarrina. – Ci fermiamo per un caffè?

Mise la freccia e si infilò nella corsia che portava all'autogrill. Passò lungo una fila di camion parcheggiati sul bordo della piazzola e accelerò per inserirsi in un posto libero sotto una tettoia di paglia, rubandolo a una Punto che si era fermata per lasciar passare tre ragazzi che stavano correndo in ritardo verso il barrito bitonale di un pullman pronto a partire. Quando scese dalla macchina, vide che la Punto non si era mossa, ferma dietro di loro a ringhiare di rabbia, e allora tirò fuori la paletta bianca e rossa della Polizia da sotto la lunetta parasole e la tenne in mano come per esaminarla finché l'auto non ingranò la marcia con un singhiozzo esasperato e andò a cercarsi un altro posto.

– Che stronzo, – disse Matera.

– Dài, uscite che la chiudo, – disse Sarrina, infilando la chiave nella serratura della portiera. – Ora puoi fumartelo quello zampirone.

– Sarri', non capisci un cazzo di sigari. Questo non si fuma cosí, camminando...

Grazia uscí dall'auto. Si alzò in punta di piedi, allungando le braccia per stirarsi, poi si ricordò di sistemarsi dietro la maglietta a maniche lunghe, per coprire la pistola. Fece cenno a Sarrina di riaprire la macchina un momento e recuperò il giubbotto, che si annodò attorno ai fianchi, stringendo sulla schiena la Beretta 92 infilata nella fondina alla cintura. Poi salí anche lei sulla rampa che portava all'autogrill.

C'era un sacco di gente. Tutti infreddoliti, sorpresi a mezze maniche dall'inizio improvviso dell'autunno.

– Caffè? – urlò Sarrina dalla fila per la cassa e lei fece di sí, annuendo, e fece anche un gesto col pollice, su una spalla, dietro, che nelle sue intenzioni doveva significare «Vado al bagno».

Girando attorno alla macchina del bancomat, sulla scala che scendeva alla toilette, le venne in mente che il suo uomo poteva essere lí e poteva essere chiunque. Era un pensiero che le dava fastidio, le fremeva dentro come un solletico indiscreto. Di solito non era cosí. Di solito aveva sempre una faccia a cui pensare, anche se vecchia e piú giovane di anni come quella di Provenzano, oscena come quella di Brusca, strana come quella di Aglieri, ma sempre una faccia su cui concentrarsi, da vedersi davanti sempre, anche quando chiudeva gli occhi. Questa volta no. Questa volta il suo uomo era chiunque fosse maschio, avesse tra i venti e i settant'anni, e fosse alto non piú di uno e ottanta e non meno di uno e settantacinque. Chiunque. Il camionista con i calzoni corti e le ciabatte e il beauty-case di plastica gialla sotto il braccio. Il rappresentate con la giacca sgualcita al centro della schiena e la cravatta schiacciata dalla cintura di sicurezza. Anche l'autista di autobus in camicia azzurra, che saliva le scale agitando in aria le mani bagnate. Chiunque. Lo aveva già fatto di dare la caccia a un fantasma senza volto e lo aveva preso. Ci sarebbe riuscita anche questa volta.

La sensazione d'ansia non le passò neppure nell'anticamera del bagno, dove erano tutte donne e il suo uomo non avrebbe potuto starci. Grazia scelse l'ultimo séparé in fondo, come faceva sempre, e chiuse la porta. Tirò giú i calzoni elasticizzati e le mutandine e li abbassò fino alle ginocchia, tenendoli stretti con una mano e attenta che non le cadesse per terra la pistola. Poi girò un braccio dietro la schiena, raccogliendo la maglietta e il giubbotto, si chinò sulla tazza in modo da non toccare la porcellana ingiallita con la pelle nuda e lí, in quella posizione scomoda ma giusta, all'improvviso e senza nessuna ragione apparente, le tornò quel pensiero che le aveva dato fastidio in macchina.

Al bancone, Sarrina e Matera stavano parlando e Matera scuoteva la testa mentre Sarrina diceva: – Sai quanti sono i gonzi italiani che si sposano una cubana?

Grazia si fece largo tra un gruppo di ragazzi che si affollavano davanti alla cassa, tagliando quasi in due l'autogrill. Erano tifosi di qualche squadra, avevano tutti sciarpe, magliette e cappellini dello stesso colore e uno le si parò davanti saltellando come se ballasse, i pugni piantati in aria. Lei lo spinse via, bruscamente e lui dovette aggrapparsi alla rastrelliera dei giornali per non cadere. – Ohé, nina... Che c'è, siamo nervosi? Hai le tue cose?

– Il caffè si fredda... – disse Sarrina quando la vide arrivare.

– Lascia perdere il caffè, – disse Grazia. – Mi è venuta in mente una cosa.

– Cosa? – chiese Matera.

– La borsa. E la roba che ci sta dentro. Neanche un'impronta, giusto? Tutto pulito...

– Sí, – disse Sarrina. – E allora?

– E allora noi pensiamo che se la sia dimenticata quella cazzo di borsa, ma se non fosse vero? Se l'avesse lasciata apposta per farcela ritrovare? Ecco perché cancella tutte le impronte, perché sa che la ritroviamo quella minchia di borsa.

– E perché? – chiese Sarrina. Aveva le chiavi dell'auto in mano. Grazia gliele prese e corse fuori, facendo un passo prima di ricordarsi che doveva tornare indietro per tutto l'autogrill, market, salumi, formaggi, giornali e scaffali delle videocassette compresi, prima di uscire. In macchina, si tirò le maniche della maglietta fin sopra le dita e usandole come fossero guanti fece scorrere la cerniera e tirò fuori quello che c'era dentro.

Se aveva cancellato tutte le impronte era perché voleva che ritrovassero quelle cose.

Se voleva che le ritrovassero era perché avevano un significato. Una di quelle cose non era stata messa lí per caso. Significava qualcosa.

Occhiali da vista in astuccio di pelle, molto consumato. Montatura di corno nero, gradazione leggera.

Mazzo di chiavi tipo Cisa, cinque, guarnizioni di plastica di diverso colore. Una di tipo vecchio, a bacchetta, con etichetta attaccata con lo spago. «Cantina».

Una maglia marrone con scollo a V. Ruvida. Infeltrita. Pulita.

Una rivista. «Diana armi». Rivista di caccia. Verso la fine: l'angolo di una pagina piegato in dentro, un'orecchia per segnare un articolo.

Pit bull, il cane piú pericoloso del mondo.

Grazia rimase a fissare il muso appuntito del cane che la guardava dalla fotografia al centro della rivista. Era cosí grande che non entrava in una pagina sola e il solco del mezzo attraversava proprio il muso del cane, un punto di metallo sulla fronte e l'altro sotto la bocca. Ma erano gli occhi, soprattutto gli occhi, che non erano piú in asse e sembravano ancora piú distanti e strabici del solito. Appuntiti e neri. Brillanti. Come se ridessero.

– Che c'è? – disse Matera, arrivando per primo.

– C'è che dobbiamo tornare subito a Bologna, – disse Grazia. – Bisogna fare una ricerca.

Cercò di rilassarsi distendendosi sul sedile, e all'improvviso le tornò in mente quel ragazzo nell'autogrill: «Ohé, nina». Oddio, le sue cose... da quanto tempo era? Una volta era regolare come un orologio e se ne accorgeva una settimana prima, ma adesso era cambiata. Oddio, le sue cose. Cominciò a fare i conti con le dita, ed era cosí assorta nello sforzo di ricordare che senza pensarci tirò su i piedi e stampò la suola degli anfibi proprio sul sedile nuovo della macchina a noleggio.

Certe volte i pensieri si articolano nella testa sotto forma di parole. Pesano sulla lingua e non esistono se non vengono pronunciati, strutturati in un discorso, plasmati in verbi, sostantivi, aggettivi, anche rumori. La lingua è adagiata sul fondo della mandibola, la punta appoggia contro i denti, tocca il bordo della gengiva superiore e da lí non si stacca, ma non è immobile. Vibra, si contorce, si gonfia, non abbastanza da emettere un suono ma a sufficienza perché le parole si sentano nella testa, *dunque, adesso facciamo cosí, e io gli dico senta, primo :, secondo :, cazzo, devo comprare una camicia nuova,* e hanno tutte la stessa voce muta, sempre uguale, silenziosa, increspata appena, a volte, dal respiro. Non sempre escono lisci e filati, i pensieri che si formano con le parole, ogni tanto si inceppano, si incagliano sulla stessa parola ripetuta, battono sul fondo della lingua e tornano indietro, riprendono da un punto, formulano la frase e si fermano ancora, come un mantra, che dopo un po', se non si sblocca, diventa soporifero, ipnotico, e scioglie il pensiero. Quando funziona, invece, il discorso si srotola veloce fino alla fine, rimbalzando sul palato, istintivo, e ci si accorge di aver pensato perché nonostante le labbra siano ancora incollate tra loro senza che un suono le abbia separate, la lingua invece è indolenzita, stanca, là dove scivola giú lungo la gola. Succede cosí anche con le preghiere.

Vittorio guidava senza scatti, fisso nella seconda corsia, ai centodieci. Teneva le mani sul volante, piú appoggiate che strette, e guardava davanti a sé. Seguiva la strada col fondo degli occhi ma col centro fissava uno squarcio bluastro che si era aperto nel cielo. Un buco grande, ramificato come una mano dalle dita lunghe rattrappite, carico di un blu elettrico e luminoso che forava il grigio livido del cielo. Se c'era il sole, là dietro, doveva essere liquido, gonfio e blu anche lui, come una goccia di inchiostro caduta da una penna stilografica.

In autostrada, pensava Vittorio, per chi guida tutto è davanti. Ai lati non si può guardare, non si può girare la testa e osservare, fissare, scrutare, tutto quello che scorre lungo i finestrini viene percepito con la coda dell'occhio ed è tutto uguale. Guardrail di cemento grigio, lungo, piatto e compatto come un muro. Strisce di metallo concavo segnate ogni tanto dal foruncolo rossastro di un catarifrangente. Siepi squadrate di rami verdi, selvagge di fiori malati. Barriere di plexiglas. Piú lontane di un sedile quelle a destra, attaccate all'orecchio quelle di sinistra. Il cielo invece, la strada, il paesaggio, è tutto davanti, inquadrato dal grandangolo del parabrezza come in un televisore senza fondo, in cui la vista si infila dritta fino all'infinito. Tutto davanti. Anche quello che sta dietro, scorre in alto, stretto nel rettangolo dello specchietto retrovisore e per vederlo devi comunque guardare davanti.

Certe volte i pensieri si disegnano nella testa sotto forma di immagini. Si proiettano come un film a tre dimensioni, un ologramma in movimento senza bisogno di schermo. La vista, l'olfatto, i sensi continuano a funzionare all'esterno del volto, a registrare azioni e sensazioni, ma dietro gli occhi, in quello spazio ovale racchiuso tra le tempie e la nuca, lí, sotto la calotta cranica, agiscono i pensieri. A volte guidate, costruite, a volte da sole, come i sogni, le immagini si formano e si muovono, quella donna, quell'uomo, quel luogo, hanno rumori, musiche e parole che esistono anche se non si sentono, odori e consistenza che arrivano fino alla pelle e provocano reazioni vere, vere sensazioni. Quando succede non tornano indietro, non si riavvolgono come la pellicola di un nastro, ma accadono di nuovo, si ripetono dal nulla, identiche, oppure cambiano, si restringono a particolari che riempiono tutto il campo, deviano in altre facce, altri corpi, altri movimenti. La ragazza del Club freccia alata che gli cammina a fianco. Sensazioni: bellina. La ragazza Freccia alata in tailleur verde oliva che gli cammina a fianco e gli stringe il braccio. La mano sul suo braccio. Le unghie laccate di bianco sul suo braccio. Sensazioni: sollievo, tranquillità, sí. La ragazza verde oliva che gli cammina a fianco. La sua mano sulla faccia della ragazza. La sua mano sulla bocca della ragazza, le labbra bagnate, i denti. La ragazza che gli cammina a fianco, la sua mano sulla faccia, che la spinge via. La pistola. Sensazioni: nessuna.

Quando nascono dal nulla, le immagini si chiamano fantasie. Quando sono già accadute si chiamano ricordi.

Vittorio lasciò l'autostrada. Deviò a destra, immettendosi sulla rampa e al casello puntò verso l'uscita con il telepass, perché non gli importava di lasciare una traccia elettronica, anzi. Sentí il primo bip, rallentò per sentire il secondo e vedere la sbarra che si alzava e si fermò quasi, per lasciar passare un'altra auto che arrivava da sinistra. In ritardo, perché aveva il casello alle spalle e stava già imboccando la superstrada che portava alla frontiera, pensò alla telefonata di un camionista che aveva sentito alla radio, di notte, si lamentava di come le uscite automatizzate non fossero mai sempre dalla stessa parte, obbligando tutti a concentrarsi sui cartelli e fare lo slalom tra le corsie per infilare quella giusta. Aveva ragione, pensò Vittorio.

Certe volte, nella testa, i pensieri esistono all'improvviso senza assumere nessuna forma. Appaiono nel buio della mente come un lampo di calore in un cielo di notte, una scarica di elettricità silenziosa, senza tuono. Di piú, un lampo senza luce, muto e cieco, che lascia il cielo nero com'era prima, talmente veloce che è impossibile capire quando sia iniziato e quando sia finito. Alcuni di questi pensieri accendono sensazioni che esplodono violente, oppure si sprigionano, lente come un gas, stati d'animo in cui ci si trova in mezzo all'improvviso, senza sapere da dove siano venuti o da che cosa abbiano avuto inizio. Altri innescano connessioni, producono concetti, risolvono problemi, si strutturano in immagini e parole, vanno avanti. Di altri ancora non si ha percezione. Restano nel buio della mente, come non fossero mai esistiti. Forse si depositano da qualche parte, dentro, vengono registrati nella memoria, producono traumi che restano nascosti.

O forse, semplicemente, si perdono e non tornano piú.

Vittorio si fermò alla dogana. Parcheggiò la macchina nella piazza ed entrò nell'ufficio della Guardia a consegnare in deposito la pistola. Aveva fatto sempre le cose per bene, secondo le leggi e senza rischi inutili e San Marino, per quanto vicino fosse, restava uno stato estero a tutti gli effetti, con le sue regole.

Lasciò la pistola alle Guardie di Rocca e fece presto, perché era conosciuto. Riprese la macchina e risalí il monte fino in città, tornante dopo tornante. Lungo il tragitto si fermò in cinque banche diverse, depositando ogni volta venti milioni, in contanti, pensando a quando avrebbe dovuto rifare lo stesso giro, forse tra una settimana o due, dopo che fosse riuscito ad andare in Svizzera a ritirare da un'altra banca la seconda metà del pagamento. Arrivato in cima non entrò in città, passò davanti alla Porta del Paese e girò attorno al primo dei tre monti. Si fermò in uno spiazzo, scese dalla macchina e aprí il portoncino di un ufficio, incastrato tra un'edicola e un bar. Lanciò un'occhiata alla cassetta della posta, alla griglia sotto l'etichetta «Gioielli Titano», e tirò dritto vedendo che c'era soltanto il cartoncino colorato di una pubblicità. Anche nell'ufficio non c'era molto, a parte un tavolo e un computer, una poltroncina girevole e uno schedario, chiuso. Nello scantinato c'era il bagno e accanto al bagno due armadietti. In uno c'era uno scopone, uno straccio ancora chiuso nel cellofan e una confezione di Mastro Lindo. Nell'altro un fucile a pompa Ithaca calibro 12, col calcio segato, una carabina di precisione Weatherby calibro 30/378 con cannocchiale Nightforce da 36 ingrandimenti, e una mitraglietta Heckler and Kock Mp5, già silenziata.

Prima di uscire tirò fuori dal cassetto del tavolo un registro con la costola a spirale e lo consultò rapidamente, facendo scorrere il dito su una fila di nomi e indirizzi. Sospirò vedendo che era il turno della Biblioteca comunale di Cavriate, in provincia di Bergamo, e lesse la nota accanto all'indirizzo. «Orario massimo affollamento: sabato pomeriggio (universitari). Bibliotecaria giovane e carina. Noterebbe: utenti anziani, fuori target, bei ragazzi». Dallo schedario prese una protesi dentaria con un dente scheggiato, una parrucca, lenti a contatto colorate e cipria per scolorire la pelle. Scelse alcuni vestiti dalle grucce a cui erano appesi, un paio di jeans, una camicia bianca, un maglione girocollo blu, e mise tutto in una borsa. Guardò l'orologio e si affrettò a uscire. Doveva ancora recuperare la pistola, trovare un luogo per cambiarsi e correre fino a Bergamo in tempo per l'appuntamento con la chat.

Bing.

– Eccoli.

Ho attivato un comando che mi segnala tutte le volte che un certo nick si collega alla chat. L'ho fatto da solo, senza l'aiuto di Luisa, perché fin lí ci arrivo anch'io. Ogni volta che Pitbull o Ilvecchio entrano in chat il mio computer fa *bing!* e me lo segnala. Potrebbe fare anche *cazzarola!*, ma per quello già ci vuole quel qualcosa in piú che dovrei chiedere a Luisa, e non voglio esagerare. L'ho già sfruttata parecchio.

Assieme a lei ho controllato tutte le volte che Pitbull e Ilvecchio si sono collegati alla chat nell'ultimo anno. Lo hanno fatto quattordici volte, solo quattordici. Allora abbiamo controllato le volte che si sono collegati contemporaneamente. Quattordici. Mai per piú di dieci minuti. Pitbull e Ilvecchio si collegano solo per comunicare tra loro e non si dicono neppure molto. – Perché non si telefonano? – ha chiesto Luisa, e credo sia da lí, da quel momento, che si è appassionata alla storia anche lei.

Abbiamo cercato di scoprire qualcosa su di loro. Da dove si collegavano, per esempio. Se fossero stati utenti interni, del nostro stesso distretto telefonico, avremmo avuto subito il loro numero di telefono. Invece erano utenti esterni, collegati da chissà dove, magari dall'Australia.

– Eccoli, Luisa... vieni a vedere.

Luisa si alza dal suo terminale e viene al mio. Lo fa con tanta foga che si dimentica del Cane che mi dorme di fianco e lo scavalca come fosse una borsa. Lui non si muove nemmeno e continua a dormire, il naso contro il pavimento, a disegnare una macchia di umido che si allarga a ogni respiro.

– Cazzo... sono loro.

Utenti esterni. Io a quel punto ero perso, ma Luisa no, Luisa se ne intende di piú, non come Mauri ma sicuramente piú di me. Mi ha chiesto perché mi interessava. Se c'entrava qualcosa con la tipa, visto che ultimamente non c'era nient'altro che riuscisse a prendermi. In un certo senso, gli ho detto io. È una cosa che voglio fare. Una cosa che *posso* fare. È l'unico spiraglio che ho per uscire da questa apatia, Luisa. Aiuto.

<Ilvecchio> È andato tutto bene?

<Pitbull> Tutto bene.

<Ilvecchio> Anche qui. Sono tutti contenti. Tu stai bene?

<Pitbull> Benissimo. Come sempre.

<Ilvecchio> Io no. Mi sto prendendo l'influenza...

Luisa mi si appoggia a una spalla, col braccio, per chinarsi a leggere sul monitor. Sento il suo seno che mi sfiora la schiena e un po' mi irrigidisco. Lei non se ne accorge nemmeno.

– Ma perché non si telefonano? – ripete Luisa. – Per quello che si dicono... perché tutto questo casino?

Utenti esterni. Luisa ha controllato ed è riuscita a risalire agli Ip address di Pitbull e Ilvecchio.

Tante sequenze di numeri di undici cifre, divise in quattro gruppi separati da un punto, 194. 242. 155. 63, 195.321.192.34, eccetera eccetera, di cui le prime indicano il provider e le ultime l'utente collegato. Di per sé, però, non significano niente, perché vengono usate ogni volta da un utente diverso, a seconda della disponibilità del momento. Sfiga.

<Pitbull> A quando il prossimo?

<Ilvecchio> Presto. Ho un cliente che mi sta appresso.

<Pitbull> Nessuna difficoltà.

<Ilvecchio> Anche se è cosí vicino all'altro?

<Pitbull> Nessuna difficoltà.

Luisa scuote la testa. Muove un piede e fa un salto perché tra le liste di cuoio del sandalo ha sentito il pelo raso del Cane. Mi passa dall'altra parte, girandomi dietro la schiena, e si appoggia come prima, braccio sulle mie spalle, seno contro la scapola, occhi sul monitor. Ha una sigaretta accesa in mano e il fumo mi fa bruciare un occhio.

Utenti esterni. A quel punto Luisa ha detto che un modo per scoprire qualcosa c'era. Non era comodo ma c'era. In che senso comodo, ho chiesto io. Dimmi perché ti interessa tanto, ha chiesto lei.

Non è che si possa spiegare facilmente, perché un motivo vero e proprio non c'è. È come quando sei innamorato di una ragazza, questa ti ha lasciato e ti senti una merda, e non hai voglia di fare niente se non pensare a lei, come era bella, come era dolce e come ti manca adesso che non c'è piú, e intanto ti sfiora il pensiero che in realtà non è per lei che ti senti una merda, ma è perché lo sei davvero, una merda, e la vita è cosí. A questo punto ti restano solo due alternative. O non ne esci piú, e continui all'infinito a piangere, a guardare

Mtv e... vabbe', insomma, resti lí a non far niente, un giorno dopo l'altro. Oppure ti strappi
dall'apatia e fai qualcosa, qualunque cosa, basta
che c'entri con lei, perché se no non riusciresti a
pensarla, e ti faccia muovere. Kristíne amava un
cane che sembra un pit bull. Questi qui stanno parlando di cani pit bull e lo fanno in un modo strano che mi inquieta e che, lo so, non sarebbe piaciuto a Kristíne. Voglio sapere cosa c'è sotto. Voglio fare qualcosa che agli occhi di lei non mi faccia
sembrare una merda, anche se forse non lo saprà
mai. Non so se è logico, ma è cosí. Ti basta? A quel
punto Luisa ha fatto una smorfia, si è stretta nelle spalle e mi ha spiegato come avremmo potuto
fare a saperne di piú.

Utenti esterni. Individui il provider indicato
dalle prime cifre dell'Ip address e gli chiedi chi si
è collegato quel giorno, a quell'ora e in quel minuto, con quell'Ip. Lui lo sa. Lui sa il suo numero
di telefono. Il piú è riuscire a farselo dire.

Luisa è in gamba, piú in gamba di me. Ha individuato una sfilza di provider e li ha chiamati
dall'ufficio. Con alcuni avevamo rapporti di lavoro diretti, per cui è stato facile. Per altri c'è voluta
qualche scusa, tipo un utente che ha fatto qualche
pasticcio e vorremmo controllare, se per cortesia,
grazie. Qualcuno ha voluto richiamare l'ufficio,
per essere sicuro che fossimo davvero un provider
anche noi. Qualcuno non ci ha detto niente. Appena abbiamo avuto i numeri abbiamo chiamato il
1412 della Telecom per risalire agli indirizzi.

«Benvenuti nel servizio 1412 di Telecom Italia. Il servizio fornisce il nominativo e l'indirizzo
corrispondenti a un numero telefonico. Compor-
re il numero di telefono...»

Ne abbiamo provati sei.

Pitbull: Biblioteca comunale di Villa Spada, Bologna. Biblioteca comunale di Varese. Cybercafé Andromeda di Padova.

Ilvecchio: Aeroporto Leonardo da Vinci, Fiumicino. Cybercafé Xenia, Roma. Biblioteca civica di Sabaudia, Latina.

Tutti posti pubblici, utilizzabili da chiunque. Inutilizzabili.

Gli altri otto non li abbiamo guardati neanche.

<Ilvecchio> Il cliente ha esigenze particolari. Sarà un incontro difficile.

<Pitbull> Nessun problema. Fammi sapere.

[Sat, Sep. 30, 16:08:52 Pdt 2000] Pit bull left private chat.

Luisa si stacca da me. Sospira. Mormora: – Chissà che cazzo... – e torna a sedersi al suo terminale. Continuo a fissare il mio schermo. Stacco ed esco dalla chat, perché ho il cervello da un'altra parte. Ilvecchio ha detto una cosa, una parola che mi ha fatto capire tutto. E che mi fa paura. Penso, due cose. La prima.

– Luisa... lo sai di cosa stanno parlando questi due bastardi?

– Di cani, – dice lei.

– Sí, ma mica per venderli. C'è qualcosa sotto, una cosa bruttissima...

– Cosa?

– Combattimenti di cani. Hai visto cosa ha detto Ilvecchio? Ha detto: «Sarà un incontro difficile...» Incontri tra pit bull, Luisa. Combattimenti all'ultimo sangue tra cani feroci. Li organizzano loro.

– Che bastardi...

La seconda.

– Luisa... se si collegano da posti pubblici è inutile, vero?

– Sí, l'hai visto...

– Il vecchio ha detto che gli stava venendo l'influenza... non è che per una volta ha chiamato da casa?

Luisa stringe le labbra e alza un sopracciglio, uno solo, non so come. Ha una matita in mano e se la batte sulla bocca, annuendo.

– Può darsi, – dice. Si alza di nuovo dal suo terminale e viene al mio. Questa volta il Cane alza la testa, ma lei se ne frega lo stesso. Velocissima, va a prendersi l'Ip del Vecchio.

192.204.197.12.

È un provider di Sabaudia, provincia di Latina. Luisa prende il telefono che ho sul tavolo, accanto al computer, e lo chiama.

Ci parla a lungo, pochissimo per farsi dare il numero e un sacco per riuscire a sganciarsi dal tipo che anche sentito a distanza, fuori dalla cornetta, sembra il principe dei marpioni.

Scrive il numero su un foglietto e lo tira via di scatto quando cerco di prenderlo. Vuole essere lei a fare il 1412.

«Il numero telefonico da lei richiesto corrisponde a...»

Cognome: D'Orrico.

Nome: avvocato Alberto.

Indirizzo: Lungomare Sud, 25/a. 04016, Sabaudia, provincia di Latina.

– Eccolo qua! – dice Luisa, e sorride, come non l'ho mai vista sorridere prima. Allungo le mani, istintivamente, e le stringo le spalle. Lei mi guarda strana, un po' sorpresa e un po' diffidente e in quel momento mi crolla di nuovo tutto addosso.

Non per lei, per la sua reazione... se avesse continuato a sorridere probabilmente l'avrei baciata, di slancio, e non so che bacio sarebbe stato, bello, ma forse non cosí importante. E comunque, probabilmente, lei dopo mi avrebbe ucciso. No, è perché all'improvviso mi rendo conto che anche tutto questo non serve a niente. Che qualunque cosa volessi fare comunque è già finita e io sono fregato lo stesso. Mi sono allontanato solo un momento, un momento solo, e adesso ci sono di nuovo dentro. Tra un attimo ricomincerò a pensare a Kristíne, a quanto mi manca, e a me che sono solo una merda. Un cazzo di giorno dopo l'altro.

Luisa, invece, sembra ancora euforica. Si tranquillizza appena stacco le mani e indica il fogliettino su cui ha segnato numero di telefono, nome e indirizzo.

– Adesso che si fa? – chiede. Allargo le braccia.

– Boh?

Si morde un labbro, pensosa.

– Non lo so se possiamo andare alla Polizia... mi sa che quello che abbiamo fatto non è proprio legale. E poi se lo sanno qui finisce che ci cacciano tutti e due...

– Chissà, – dico, – magari esiste un telefono azzurro dei cani...

– Ci pensiamo, – dice Luisa, alzandosi dal terminale e sollevando la cornetta del telefono. – Ho un amico che lavora al canile, appena lo vedo glielo chiedo. Intanto... – infila il foglietto sotto il tappetino del mouse, in modo che il numero resti scoperto, rivolto verso di lei, e lo compone, velocemente.

Risponde al secondo squillo, come se avesse appena messo giú e fosse ancora vicino al telefono.

– Avvocato Alberto D'Orrico? – chiede.

– Sí.

– Sappiamo cosa state facendo, bastardi.

E mette giú. Poi mi guarda, con un sorriso soddisfatto. Prende un'altra sigaretta e l'accende.

– Almeno rompergli il cazzo, – dice. – Almeno un pochino, no?

Da: a.dorri@hotmail.it
A: pitbull@libero.it
Oggetto: urgente!

Contattami per appuntamento su nuova chat.
Abbiamo un problema.

L'ufficio di Grazia.

In prestito, primo piano, Squadra mobile. Prima: uno sgombraroba per l'archivio, scatoloni di cartone pieni di faldoni color crema legati da uno spago. Adesso: ammucchiati contro il muro, sotto la finestra.

Dieci metri quadrati. Due tavoli, una poltroncina girevole, una sedia, una branda, un attaccapanni, una porta, una finestra. Lusso: una lavagna magnetica e un cestino per la carta.

Sul tavolo al centro (plastica grigia, bordi di gomma nera): un computer portatile, aperto, acceso, il monitor oscurato dal salvaschermo (esplosione di asteroidi nello spazio). Modem esterno collegato a Internet attraverso una prolunga a sveglia verde plastica che scompare dietro la porta socchiusa. Mouse su un tappetino iperrealista che rappresenta un uovo fritto in padella. Accanto al computer, in disordine: verbali di sommarie informazioni testimoniali in atti meglio generalizzati, da ricontrollare, uno per uno, quelli già fatti rovesciati a faccia in giú, scomposti, quelli ancora da fare impilati, dritti (sul primo di questi, in un angolo, il cerchio marrone del fondo di un bicchierino di caffè). Accanto ancora: due faldoni, gonfi, aperti. Sul primo: «Omicidio Barracu e altri». Sul secondo: «Omicidio Akunin e altri». Da sotto la copertina del secondo, fuori per metà, alla rovescia, la foto in bianco e nero dell'ispettore Bonetti (una macchia scura sul muro che sale in due strisce stinte fino alla testa dell'ispettore, piegata su una spalla, gli occhi semiaperti, un lato del naso incrostato di sangue, un angolo della bocca sollevato a scoprire i denti.

Sul tavolo contro il muro: risultati della Scientifica sulla borsa ritrovata all'aeroporto (negativi). Rapporto della Direzione distrettuale antimafia su eventuali relazioni omicidio Barracu - omicidio Akunin (negativo). Rapporto della Dia di Palermo su cosca Madonia Carmelo, principale interessato omicidio Barracu. Oggetto: indagine su killer conosciuti (negativo). Annotazioni a mano di Di Cara («nessuno dei soliti killer conosciuti è il nostro uomo. Mano sul fuoco»). Rapporto della Dia di Roma su famiglia Zurov Dimitri, principale interessata omicidio Akunin, scopo: individuare elemento simile killer aeroporto (negativo).

Dentro il cestino: un bicchierino di plastica da caffè.

Sulla lavagna magnetica: niente.

Nella tasca del bomber appeso alla sedia: scontrino farmacia di via Marconi e test di gravidanza istantaneo, ancora chiuso.

Grazia: di sopra a controllare la prima intuizione. Il computer trovato nella camera da letto di Jimmy (proprietà: famiglia Barracu, impronte digitali sue e della moglie) era collegato a un sito dedicato ai cani (http: //dogfighter.com/) ed era fermo sull'immagine di un pit bull. Nella borsa all'aeroporto c'era un altro pit bull che la fissava dalle pagine di una rivista. Due coincidenze fanno una relazione e in un caso di omicidio seriale questa sarebbe già una firma. Quanti altri omicidi c'erano stati negli ultimi anni in cui un pit bull era in qualche modo presente? Richiesta di ricerca all'Archivio centrale della Polizia di Stato. Richiesta formale allo Uacv, Unità per l'analisi del crimine violento, con il suo archivio computerizzato di omicidi senza movente. Fonogrammi a scientifiche periferiche, questura e comandi dei Carabinieri.

Quattro risposte.

L'ufficio di Grazia.

Sulla branda: una borsa da ginnastica con dentro un cambio di biancheria, un maglione e lo spazzolino da denti. La notte prima: gelo con Simone, schiena contro schiena, il più lontano possibile in un letto troppo stretto (Dove vai con la borsa? Sto fuori un po' di notti, a lavorare, come al solito. Ma dopo torni?)

Sul tavolo contro il muro, uno accanto all'altro, fascicoli con relazioni di servizio e informative su:

– dicembre 1999, omicidio Pandella, Perugia. Alle ore 07.30 circa il professor Emilio Pandella usciva di casa per recarsi a lavorare all'ospedale Silvestrini, come ogni mattina. Giunto alla macchina parcheggiata poco più avanti lungo la strada, si accingeva a metterla in moto quando veniva avvicinato da un uomo robusto, claudicante dalla gamba sinistra, che gli esplodeva tre colpi di pistola cal. 40 Sw al capo, uccidendolo sul colpo. Successive informazioni testimoniali segnalavano tre individui sospetti notati in loco a sorvegliare i movimenti del professore nei giorni precedenti il delitto. Uno di questi indossava una maglietta raffigurante un cane pit bull, visibile sotto il giubbotto bomber tenuto aperto nonostante il freddo (Sm Perugia, ispettore Gusberti).

– giugno 1998, omicidio D'Angelo-Cabona, Roma. Alle ore 19.45 il cavalier D'Angelo Francesco e la sua guardia del corpo Cabona Antonio detto Nino venivano falciati da numerose raffiche di mitraglietta automatica calibro 9 mentre si trovavano all'interno di un ascensore a cancelletto, diretti presumibilmente al quarto piano di un palazzo di via Beato Angelico, dove il cavaliere è domiciliato. A sparare dal pianerottolo del secondo piano sarebbe stato Persichetti Elio, sedicente amico di una famiglia domiciliata al suddetto piano e in quei giorni in vacanza premio alle isole Maldive. Persichetti Elio, che ha dichiarato false generalità ed è scomparso dopo l'omicidio, viene descritto come un uomo anziano, dai capelli bianchi riportati, di colorito rosso e atteggiamento dichiaratamente omosessuale. Si era già fatto notare nei giorni precedenti l'omicidio per il ripetuto abbaiare di un cane nell'appartamento, che lui aveva dichiarato essere un pit bull (Comando Provinciale Cc Roma, cap. Lojaco).

– marzo 1998, omicidio Ravarrino, località segreta. Alle ore 16.18, Ravarrino Maurizia, moglie del boss della camorra Ravarrino Michele detto Biondolillo, veniva raggiunta alla testa da un proiettile calibro 30/387. La Ravarrino si trovava sottoposta a stretta sorveglianza in una casa colonica in località segreta, in quanto in procinto di pentirsi in seguito all'uccisione del marito. Il colpo proveniva da una villetta in costruzione sulle pendici di una collina prospiciente e con tutta sicurezza è stato sparato con un fucile di precisione data la distanza coperta (1095 metri). Sia in precedenza che il giorno stesso dell'omicidio la zona era stata bonificata da personale del Nucleo centrale scorte e dalla locale Questura, che non avevano rilevato niente di strano. (Ncs Roma, isp. sup. Mattei). Appuntato all'informativa, scritto a mano da Matera: «Avevi ragione. Ho fatto fare un Pattix con tutte le relazioni di servizio delle pattuglie in zona. Quella mattina i colleghi della stradale fermano per un controllo una Megane Scénic presa a noleggio da un turista. Non la segnalano ai colleghi nella casa perché va in altra direzione e si ferma poco dopo a Fontanafredda (Gr). Da lí, probabilmente, il nostro amico si fa quindici chilometri a piedi per arrivare alla villa senza essere visto. Perché dico che è lui? Perché sulla Megane c'era un adesivo, sul vetro di dietro. E che c'era sull'adesivo? Un pit bull».

Sul tavolo col computer, accanto al mouse, il cellulare di Grazia, che squilla muto, con la vibrazione. Nella segreteria la voce di Sarrina: «Sono a Como. Ho controllato la segnalazione. Nel 1990 il Pit bull ha fatto saltare in aria un colonnello dell'Aviazione legato ai Servizi. La cosa non è chiara, non c'è nessuno che ne voglia parlare. Che faccio, cerco questo brigadiere Carrone?»

Dentro il cestino: quattro bicchierini da caffè di plastica.

Sulla lavagna: al centro, la foto di un pit bull ritagliata da un giornale. Attorno, a raggiera, post-it scritti a mano. 1) Maschio, 1.75/1.80. 2) killer professionista, non seriale. 3) Bravo con le armi. Dove si allena? Dove le trova? Controllare. 4) Bravo a travestirsi. Come ha imparato? 5) Milano-Roma-Grosseto-Bologna-Perugia-Como. Tutta Italia. Come si muove? 6) Come contatta i clienti? 7) Come si fa pagare? 8) Dove si nasconde? 9) Chi è?

Grazia: fuori a controllare la seconda intuizione. Per uccidere Jimmy e gli altri ha usato proiettili di vetro ricoperti di plastica. Difficili da usare e difficili da trovare. Perché? Esistono altri omicidi commessi con proiettili particolari? Fonogrammi urgenti a Questure, Scientifiche, Uacv e comandi dei Carabinieri. Idea dell'ultimo minuto: controllare non solo gli omicidi irrisolti, ma anche quelli risolti e i suicidi.

Due risposte.

L'ufficio di Grazia.

Sulla brandina disfatta faldoni e carte sparse (verbali, sopralluoghi tecnici, relazioni autoptiche, perizie balistiche). Sotto, un paio di anfibi neri (scalciati con rabbia fino in fondo). Odore di chiuso e di sudore.

Sul tavolo col computer: foto autopsia avvocato Brachetti, Como. Accanto: carta McDonald's con residui di ketchup (McBacon + patatine + Mc-Nuggets da nove), cartone Spizzico con pomodoro e funghi (Farcita, divisa in quattro), vaschette di plastica Grande muraglia take away (riso alla cantonese, pollo con funghi e bambú).

Sul tavolo contro il muro, aperti sul mucchio delle altre carte, due fascicoli su:

– settembre 1998, omicidio Paladino, Ferrara. Tre colpi di pistola sparati alla testa di un direttore di banca in attesa di giudizio per riciclaggio e frode. Proiettili in cera, probabilmente congelati con ghiaccio secco prima di essere usati. Perizia balistica: impossibile.

– dicembre 1997, suicidio Graziani. La donna si spara un colpo alla tempia con la 22 da tiro a segno di uno dei figli. Usa un proiettile di vetro coperto da un sabot di plastica. Deformazione all'impatto, nessuna rigatura utile. Perizia balistica: impossibile.

Nel cestino: appunti appallottolati, post-it, tredici bicchierini di plastica da caffè.

Sulla lavagna: il pit bull, al centro. Altri post-it a raggiera, in seconda fila. 10) Perché un professionista dovrebbe lasciare la firma come un serial killer? 11) Bologna, Ferrara, Reggio Emilia. Proiettili non periziabili. (Secondo post-it, appiccicato all'angolo del primo) Tutti in regione. Perché?

Per terra, sotto il tavolo, il cellulare, con la vibrazione. Nella segreteria la voce di Sarrina: «Ma allora, rispondi una volta, o no? Non lo trovo questo maresciallo Carrone, sembra scomparso nel nulla. Cerco ancora?»

Grazia: nella stanza, seduta sulla sedia girevole, le gambe allungate sul bordo del tavolo, le caviglie incrociate una sull'altra. Un calzino tubolare che si alza sulla punta di un piede in un lungo pennacchio bianco. Il mento schiacciato sul petto, la testa appena piegata su una spalla. I tendini del collo, a sinistra, anestetizzati dal sonno, che si preparano a far male dopo, al risveglio.

Nella tasca del bomber appeso alla sedia: il test di gravidanza istantaneo. Ancora chiuso.

– Sai... ho sentito quel mio amico che lavora al canile.

– Ah sí?

– Non te ne frega piú niente, eh? Comunque lui ha detto che dobbiamo dirlo alla Polizia. Non lo so... non credo sia il caso.

– No? No, certo.

– Se facciamo una telefonata anonima figurati quando ci cagano. Per me questa storia finisce qui, anche se mi fa incazzare. Al massimo telefoniamo ancora all'avvocato e gli facciamo paura.

Mormoro qualcosa che non capisco neanch'io e mi stringo nelle spalle. Sto camminando assieme a Luisa sotto i portici di piazza Santo Stefano. Lei tiene la bicicletta a mano e io le sto a fianco. Ogni tanto sbatto nel pedale con la caviglia, ma non mi sposto.

– Senti... – le dico, – io oggi a lavorare non ci vengo.

– Sei matto... perché?

– Devo studiare. Devo dare un esame.

– Sí, raccontalo a un'altra...

– No, senti... sto male. Non mi sento bene.

– Raccontala a un'altra anche questa. Di' che non ne hai voglia e basta. Non sono mica io il padrone. Non sono mica io quello che ti licenzia.

In un certo senso mi piacerebbe. Licenziato, senza soldi, senza piú niente da fare. Mi butterei sul divano e mi lascerei morire di fame, di sete e di sonno. Per un momento provo una sensazione di sollievo che mi scioglie le spalle e mi curva la schiena, facendomi quasi penzolare le braccia sui fianchi. Poi l'angoscia mi tronca il respiro, come una mano che mi stringa la gola.

– Tra l'altro, puoi stare a casa il giorno che vuoi ma non oggi. Ieri ha telefonato uno della sede centrale, da Milano e ha chiesto quanti eravamo a lavorare da noi. C'è aria di controllo e il capo ci vuole tutti. Poi gli passa, ma non oggi.

E a me, quando mi passa? L'altro giorno ho preso un libro dalla stanza del Morbido. Sta dando l'esame di psichiatria e sul suo tavolo c'era questo libretto bordeaux, quadrato e massiccio. Mini Dsm-IV. Manuale diagnostico statistico medio. Ci sono catalogati per sintomi tutti i disturbi mentali, cosí mi sono seduto sul letto del Morbido e ho cercato il mio. Episodi di alterazione dell'umore. Episodio depressivo maggiore. Cinque o piú dei seguenti sintomi sono stati contemporaneamente presenti durante un periodo di due settimane.

1) Umore depresso per la maggior parte del giorno, quasi ogni giorno (sí);

2) marcata diminuzione di interesse o piacere per tutte, o quasi tutte, le attività per la maggior parte del giorno, quasi ogni giorno (no, tutti i giorni. Sí, ce l'ho...);

3) significativa perdita di peso senza essere a dieta o aumento di peso (perdita di peso. Già che ero magro prima... sí, ho anche questa);

4) insonnia o ipersonnia quasi ogni giorno (sí);

5) agitazione o rallentamento psicomotorio quasi ogni giorno (sí);

6) faticabilità o mancanza di energia quasi ogni giorno (cazzo, sí!);

7) sentimenti di autosvalutazione o di colpa eccessivi o inappropriati, che possono essere deliranti (deliranti non lo so... comunque, sí);

8) ridotta capacità di pensare o di concentrarsi o indecisione (quella ce l'ho sempre avuta. Sí... ne manca uno);

9) pensieri ricorrenti di morte, ricorrente ideazione suicidaria senza un piano specifico (Alé, sí... nove su nove! Ce li ho tutti...)

Quando è tornato il Morbido gliel'ho detto:
– Morbido, puoi studiarmi come caso clinico. Sono un perfetto esempio di Episodio depressivo maggiore.

– Ma va là, – ha detto lui, – sei solo uno sfigato che fa una vita di merda.

– Complimenti, – gli ho detto io. – Dottor Morbidelli, lei ha un futuro come psichiatra. In cosa si specializza?

– Ortopedia.

– Meglio.

Mi passo una mano sulla bocca e mi accorgo che ho la barba lunga. Di solito non si vede molto perché sono biondo, ma ormai sono cinque giorni che non me la faccio e si vedrebbe a chiunque. Piú che barba è pelo matto, ispido e pungente, e appena mi accorgo che ce l'ho comincia a darmi fastidio e a grattare contro il colletto della camicia. Per un momento penso che appena torno a casa mi faccio la barba e subito dopo un senso pesante di stanchezza mi fa capire che non lo farò. Piú o meno è successo cosí anche con la doccia.

Luisa invece ha un'aria fresca e pulita. Ha i capelli che sanno di shampoo e appena si ferma per

scendere dal portico e attraversare la piazza mi avvicino alle sue spalle, per annusarla. Coloniali, flui-
do detergente per capelli alle proteine di seta giap-
ponese, lo usavo anch'io, prima. Porta una maglietta di lana rossa, con la zip e una specie di tasca
a marsupio, davanti, da cui spunta un pacchetto di
sigarette. Per il resto, collanine afro, indio e freak,
calzoni militari multitasche e sandali. L'ho guardata parecchio anche questa volta, approfittando
che le sono dietro e non mi vede.

Entriamo nel palazzo in cui si trova Freeskynet
e Luisa va a mettere la bicicletta nell'androne. Si
china a legare la ruota davanti con la catena e la
maglietta le va su, le scopre una striscia di pelle abbronzata sulla schiena. Mi chiedo se non la sto
guardando troppo, Luisa, e insieme provo una punta di desiderio e un mucchio di sensi di colpa, come al punto numero 7 di cui sopra.

– La belva dov'è? – mi chiede salendo le scale.
Ho l'impressione che si sia abituata a lui e che non
le sarebbe dispiaciuto se me lo fossi portato dietro.

– A casa, – dico. – Nella mia stanza, chiuso.

– Abbaierà e ti sbranerà tutte le ciabatte.

– Abbaierà e basta. Le ciabatte le ha già sbra-
nate da un pezzo.

Arriviamo al secondo piano. Entriamo. Dietro
la scrivania per i servizi al pubblico c'è il capo. Sta
compilando un abbonamento e ha l'aria incazza-
tissima.

– Meno male che ho detto che vi volevo tutti, –
ringhia.

– Noi ci siamo, – dice Luisa.

– In ritardo... e Mauri e la Cristina non si sono
ancora visti. Guarda un po', faccio io da segretaria, oggi...

Almeno fa qualcosa, penso io, e sono sicuro che lo ha pensato anche Luisa, perché mi guarda e sorride. Io sento una punta di tenerezza e un altro mucchio di sensi di colpa.

Seduto davanti al mio terminale mi sento come ai punti numero 2, 6 e 8 e mi convinco di due cose: a) sarà un casino far passare questa giornata senza fare altro che fissare un monitor che non ho neanche la forza di accendere; b) il Morbido è un coglione. Mi volto verso Luisa che si è sistemata sulla sua poltroncina, ha acceso il terminale, si è sfilata il laccetto dei sandali e ha già una sigaretta accesa in mano.

– Senti, Luisa... – inizio. – Secondo te... se io andassi da uno psicologo... sarebbe una cazzata?

– Per quella là?

– Non per quella là... cioè sí... cioè, non solo. Ho paura di soffrire di depressione.

Devo averlo detto seriamente, perché Luisa si volta e mi guarda con una piccola ruga che le solca la fronte tra le sopracciglia sottili. Si stringe nelle spalle e batte un paio di tasti, guardando il terminale.

– Perché no... – dice, come tra sé. – Meglio dallo psicologo che dall'astrologo. Ci sono andata anch'io.

Batte altri tasti e aspetta. Io la guardo, in silenzio, e vedo che lei lo sa. Alla fine cedo io.

– Perché?

– Disturbi dell'alimentazione. Bulimia. Ero arrivata a quasi ottanta chili.

– E sei guarita?

Si gira verso di me, ruotando sulla poltroncina. Si prende la maglietta, sui fianchi, e la allarga.

– Guardami! – dice. – Adesso ne peso cinquantadue. Certo che sono guarita. Tre anni fa.

Non riesco a immaginarmela grassa, Luisa. Non riesco a immaginarmela malata, Luisa. Incazzata, maliziosa, dura, incasinata, magari, ma malata, coi disturbi dell'alimentazione, quello no.

– Perché? – chiedo.

– Perché cosa? Perché sono guarita? Perché il dottor Vicentini mi ha messo in terapia...

– No, dài. Perché stavi male?

Luisa torna a girarsi verso il terminale. Non me lo vuole dire. O meglio, no. Lo vorrebbe dire, forse non a me in particolare, ma lo vorrebbe dire, solo che non se la sente. O meglio ancora, no, se la sente. Solo che non è facile.

– Ti aveva lasciato un ragazzo?

Luisa ride. Prima schiude le labbra e soffia col naso, poi ride proprio, una risatina corta che le fa chiudere gli occhi. Lo sapevo che era una cazzata e l'ho detta apposta, per sdrammatizzare e rompere il ghiaccio. Perché non le ho mai avute queste pensate qui con Kristíne? Perché con lei non ho mai detto la frase giusta. Me la immagino, lei incazzata, muta, io dico la fregnaccia perfetta, lei ride e mi abbraccia. Mai successo, cazzo.

– No, te l'ho detto... li ho sempre lasciati io i ragazzi.

Guarda ancora il terminale, ma ormai non può fare a meno di parlare, lo so. Aspetto. Accendo il mio e faccio finta di aspettare che si illumini lo schermo.

– I miei hanno divorziato quando avevo dieci anni, – dice all'improvviso. – Mio padre se ne è andato e ci ha lasciato con la mamma e la nonna. Aveva ragione lui, la mamma era matta. Si è suicidata cinque anni fa.

La guardo. La luce del monitor le si riflette negli occhi e mi sembra che ci sia qualcosa a velare le sue pupille verdi. Qualcosa che brilla. Faccio per alzarmi perché vorrei abbracciarla, ma lei mi ferma allungando un braccio, senza nemmeno voltarsi.

– No, – dice, – non c'è bisogno. È una cosa passata. L'ho superata e adesso sto bene.

Sono rimasto a mezz'aria, con le ginocchia piegate e il culo staccato dal sedile. Sono indeciso se alzarmi o sedermi e mi alzo, proprio quando il capo entra nella stanza. Mi guarda, perché mi ha visto alzarmi di scatto senza motivo, come se avessi fatto qualcosa di male.

– Qualcuno di voi sa dove cazzo è una tripla con la presa tedesca? – chiede. Luisa non si muove, guarda attenta il terminale, cosí il capo si rivolge a me.

– Spendiamo un capitale in prolunghe e bagagli vari e quando li cerchi non ci sono mai, perché?

– Mah? – dico io, allargando le braccia.

Suonano alla porta. Il capo resta immobile, poi si ricorda che la segretaria oggi è lui e scatta come se lo avesse morso una tarantola.

– Merda, – dice, uscendo dalla stanza. – Ale! – lo sento urlare da fuori. – Trovami quella tripla! E con la presa tedesca!

E dove la trovo? Ha ragione lui, compriamo un sacco di roba e quando ti serve una cosa non c'è. Mi guardo attorno, fissando cassetti e armadietti che un'invincibile stanchezza mi impedisce di aprire. Punti da 1 a 9 contemporaneamente e in massiccia quantità di fronte a un compito che mi sembra impossibile.

– Ce n'è una qua sotto, – mi dice Luisa. – A me non serve. Se riesci a prenderla è tua.

Indica sotto il suo tavolo e appena mi chino capisco cosa significa se riesco a prenderla. Il tavolo di Luisa è basso, chiuso davanti e ai lati da un pannello di plastica che lo rende uno scatolotto rettangolare, pieno di riccioli di polvere, cavi arruffati e prese. La tripla è nell'angolo destro, piantata in una ciabatta, ma da quel lato non posso arrivarci perché c'è il corpo del terminale, cosí devo chinarmi, inginocchiarmi sul pavimento e infilarmici sotto.

– Cazzo, – mormoro, respirando polvere e fiato caldo di terminale. Luisa ridacchia, e sposta appena le gambe, non molto, quello che serve per farmi passare. Mi infilo ancora piú sotto, sollevato su un gomito, striscio quasi su un fianco. Vedo la tripla ma vedo anche qualcos'altro che mi distrae. La catenella d'argento che Luisa porta alla caviglia, le maglie leggere che le girano attorno alla pelle abbronzata, segnata da rughe sottili, piú chiare. C'è un cuore appeso alla catenella. Non so perché, ma allungo una mano e lo tocco con la punta di un dito.

Luisa muove la gamba. Sfila il piede dal sandalo e mi tocca sulla testa, spingendo piano. Non capisco se sia un gesto per respingermi, respingermi poco, gentilmente, se sia una carezza ruvida e cameratesca, come si farebbe a un cane, o qualcosa di piú. Non lo so, ma so che all'improvviso una lama di desiderio mi squarcia la pancia come un coltello, attorcigliandomi nei boxer un'erezione violenta. In quel momento, nella stanza, oltre la parete di plastica che mi copre, sento una voce.

– Tu devi essere Luisa.

Non è la voce del capo e neanche quella di Mauri. È una voce che non conosco. Chi è?

Sento come un colpo di tosse. Il piede nudo di Luisa mi scivola sulla spalla e diventa pesantissimo.

Ho paura.

Vedo il braccio di Luisa cadere giú sotto il bordo del tavolino, batterle lungo il fianco e restare immobile, la sigaretta tra le dita della mano socchiusa.

Ho paura.

L'uomo che ha parlato è ancora nella stanza. Non si è mosso. Lo sento dietro la scatola di plastica che mi copre. Non dice niente, non fa niente, forse non respira neanche ma sento che c'è.

E ho paura.

Non ho pensieri, non ho sensazioni, non ho istinti. Sono solo un tubo vuoto rivestito da fasci di nervi ghiacciati e scoperti. Mi sembra che tutto attorno a me si dilati, e anch'io, sfocato e indistinto, smarrito, senza respiro. Nessun pensiero, nessuna attività razionale, nessuna idea, solo ghiaccio sui terminali dei nervi, un unico sospiro ghiacciato che mi si congela sulla bocca e non esce dai miei denti spalancati e scoperti. Quanto tempo resto cosí?

Lui si muove. Sento i suoi passi, lo scricchiolare della polvere del pavimento sotto le suole. Esce dalla stanza.

Velocemente, torno in me. Il ghiaccio sui nervi si scioglie in un formicolio intenso. Sento il sudore freddo che mi inzuppa i capelli tra il collo e la stoffa della camicia. Il dolore del gomito puntato sul pavimento, il fianco insensibile. Ricomincio a pensare. Che cazzo è successo? mi chiedo. Chi era? Cos'era? Luisa...

Scivolo fuori da sotto il tavolo, cercando di non fare rumore. Mi alzo aggrappandomi al bordo e gli strappo uno schiocco di plastica. Non so se sia abbastanza forte. Di sicuro l'urlo che faccio appena vedo Luisa, la sua testa piegata all'indietro, il buco nero che ha al posto di un occhio, di sicuro quell'urlo lo è.

Sento un rumore nella stanza del capo. Suole di gomma che gemono sulle mattonelle di cotto del pavimento. Appena ho visto Luisa ho fatto uno schizzo indietro e cosí mi trovo già vicino alla porta. Ci salto contro e la chiudo mentre sta arrivando lui, gliela sbatto in faccia, spingendo contro lo stipite con la spalla, e lo vedo tirare indietro la testa, la faccia contratta in una smorfia di dolore. Toglie le dita dal battente appena in tempo perché non gliele schiacci.

Non c'è la chiave. Mi pianto contro la porta, i piedi puntati sul pavimento e tengo duro, perché lui spinge ma non è piú forte di me, e quando appoggio un tallone contro il tavolo di Luisa e il tavolo resiste capisco che non ce la farà a entrare.

Lo capisce anche lui, perché smette di spingere.

– Alessandro... – sussurra da dietro la porta. – Apri, per favore.

Col cazzo. Spingo ancora di piú, la testa premuta contro il legno massiccio dell'uscio. Ringrazio Dio che Freeskynet sia in un palazzo antico del centro, con tutte le cose di una volta, porte e infissi compresi. Giuro a me stesso che se ce la farò a uscire vivo di lí dedicherò la mia vita a trovare i soldi per restaurare gli affreschi del soffitto. Penso un sacco di cazzate e se fossi in me mi stupirei della velocità con cui si riesce a pensarne tante, in certi momenti.

Qualcosa si schiaccia contro la porta, qualcosa che non riesce a passare il legno. Due botte, come se qualcuno avesse piantato un chiodo troppo corto. Solo due.

– Alessandro. Per favore.

Resto lí. Qualcosa dovrà succedere, qualcuno

dovrà arrivare. Resto lí. C'è solo questa porta e se resto immobile, senza cedere mai di un millimetro, lui non può entrare. C'è la finestra alle mie spalle, ma siamo al secondo piano, lui non può volare e poi è ancora qui, dietro la porta, nella stanza del capo. Lo sento muoversi. Straccia della carta. Sposta mobili. Apre una zip.

Sento uno sciacquio, il tonfo sordo di qualcosa di denso. Schiocchi liquidi, contro il muro e sul pavimento. Contro la porta.

Faccio un salto indietro mentre un liquido rossastro e schiumoso scivola sotto il battente e con un paio di ondate arriva quasi a metà della stanza. Lancio un urlo quando l'odore aspro della benzina mi chiude la gola. Chiudo gli occhi, ma vedo il fuoco che divampa anche oltre la pelle delle palpebre chiuse.

Un attimo dopo la porta si apre.

Senza pensarci, se ci pensassi non lo farei, mi volto, corro e salto fuori dalla finestra.

Grazie a Dio a Bologna ci sono i portici. Cado sulla tettoia di uno di questi e rotolo sui coppi senza riuscire a fermarmi. Sbatto gambe e braccia e quando riesco a controllarle abbastanza da poterle usare è troppo tardi, volo oltre il bordo e cado di sotto.

Atterro per la strada, come un sacco, sulla schiena. La botta mi taglia il fiato e mi annoda le reni con un dolore sordo che mi si gonfia dentro come se dovessi scoppiare. Poi qualcuno mi prende per le ascelle e mi fa alzare e cosí il fiato mi torna e mi esce in un rutto cattivo e roco come un ruggito.

Voci attorno alla mia testa.

Il dolore alle reni che mi taglia.

– Oddio, s'è fatto male?

– È caduto da lassú, come ha fatto?

– Chiama qualcuno... chiama l'ambulanza... mettiamolo a sedere.

Alzare la testa e vedere da dove sono caduto mi fa pensare che non posso essermi fatto troppo male. Le colonne dei portici sono poco piú alte di me. Devo aver coperto gran parte del dislivello rotolando sul tetto. Mi stacco dall'uomo che mi sta tenendo e cerco di fare un passo.

– Sto bene, – dico. Sono confuso, ancora non riesco a pensare, ancora non mi è venuta in mente Luisa.

Poi lo vedo.

Mi accorgo che è lui da come mi guarda. Sotto il portico, una mano nella tasca di un tre quarti di pelle, un taglio sulla fronte che sanguina ancora. Capelli rossi tinti, un piercing alla narice sinistra. Giovane, a prima vista, a guardarlo meglio non cosí giovane, di età indefinibile. Mi guarda e sembra che aspetti e io non riesco a ragionare. Ho paura, non come prima ma ho paura e non so cosa fare, se non andarmene via di lí, allontanarmi, non vederlo piú.

L'uomo che mi teneva per le ascelle allunga una mano perché sto barcollando ma io lo respingo.

– Dove va? Stia qui che si è fatto male...

– Lascialo stare... guarda com'è, sarà un drogato...

– È caduto da là... ohé, ma c'è il fuoco!

Si voltano tutti a guardare in alto e io ne approfitto per allontanarmi. Un passo dopo l'altro lungo il portico, le braccia attorno ai fianchi, a tenermi le reni.

Lui mi segue.

Matera sulla porta: – Grazia? C'è una segnalazione. Corri.

Cammino piano. Zoppico da una gamba e mi fa male un gomito, molto, ma continuo a camminare. Sembro un matto, davvero, impolverato, nero, incrostato di sangue su una mano, stracciato sul gomito e su un ginocchio, un tossico in pieno delirio. La gente si fa in là quando mi avvicino, ma io punto dove ce n'è di piú e quando il portico si svuota attraverso e vado dall'altra parte. E continuo a camminare, piano.

Lui mi segue. Piano, anche lui, a qualche metro di distanza. Tiene sempre la mano in tasca, ma non la tira fuori e non si avvicina. Almeno finché c'è gente, credo.

Io potrei mettermi a urlare, attaccarmi a qualcuno e dire «È lui! È lui!» ma ho paura che la gente scappi e mi lasci solo sotto il portico. E poi non so neanche chi è, lui. Forse se vedessi un poliziotto. Ma non ne vedo.

Lui mi segue. Quando gli sembra che acceleri il passo cammina piú forte e quando mi fermo per attraversare non fa neppure finta di fissare una vetrina, si ferma e mi guarda. Non si avvicina perché credo abbia paura che mi attacchi a qualcuno e cominci a urlare. Credo abbia altre idee per me. Credo che voglia uccidermi, ma non in questo modo.

La strada che separa casa mia dal provider non

mi è mai sembrata cosí lunga come questa mattina. Non sto lontano, sto in una traversa di via Zamboni, alla fine di un semicerchio che attraversa piazza Maggiore e passa davanti alla Feltrinelli. Tutti luoghi pieni di gente, anche a quest'ora. Donne che escono dai negozi. Studenti. Tassisti che aspettano in piazza Maggiore. Studenti. Extracomunitari che vendono la roba per terra sotto i portici di via Ugo Bassi. Studenti. Studenti. Studenti. Non mi era mai sembrata cosí affollata come adesso, Bologna. C'è un sacco di gente che fa gruppo per attraversare la strada sotto le due torri, attenta a non farsi arrotare dagli autobus. Mi ci infilo in mezzo. E lui? Si ferma, a qualche metro di distanza, e mi guarda. Poi, mi segue.

Forse, se fossi piú lucido, se non fossi volato giú dal secondo piano di un appartamento in fiamme, se non fossi stato sotto un tavolo di plastica mentre un tizio ammazzava la mia migliore amica, se fossi piú lucido, forse, farei qualcosa. Scappare, chiedere aiuto, farmi scudo con un bambino, qualcosa. Ma nello stato in cui sono non mi viene in mente niente di piú sensato che camminare. Non posso infilarmi in un portone. Se è chiuso o deserto quello mi si avvicina e mi uccide. Non posso mettermi a correre in una strada laterale. Non ci riesco, a correre, quello mi prende e mi uccide. Non posso fermare un taxi. A parte che non si fermerebbe per uno ridotto cosí, quello sale anche lui e uccide me e il tassista. È un videogame. Devo andare avanti, ho usato tutte le vite che avevo e devo continuare ad andare avanti. Se l'avversario mi raggiunge comincio a lampeggiare, lo schermo si spegne e *game over*.

Attraverso via Ravegnana, passando davanti alla Feltrinelli. Per un momento penso di infilarmi lí, passare la rotellina all'ingresso ed entrare, ma tiro dritto. Se entro, accorcio le distanze, lui mi raggiunge e mi uccide. Vado avanti, allora, giro attorno a un fascio di biciclette ammassate contro una colonna e scendo per via Zamboni.

Lui mi segue. Mano in tasca, occhi su di me. Il taglio sulla fronte ha smesso di sanguinare e si è rappreso in una crosta lucida che gli arriva quasi fino al sopracciglio.

Tra poco c'è casa mia. Sta in un vicolo sulla sinistra, un vicolo lungo, deserto e stretto. All'angolo, prima di voltarci dentro, c'è un pub tipo irlandese, che è chiuso ma tiene i tavoli fuori e c'è sempre qualcuno seduto a fare qualcosa. Mi fermo lí, in piedi, ondeggiante, con le braccia allacciate attorno alle reni. Mi guardano tutti, poi tornano a ignorarmi, lanciandomi ogni tanto un'occhiata di controllo, diffidente e sospettosa.

Lui aspetta. Sembra sappia cosa voglio. Un gruppo di gente che passa e svolta nel vicolo. Da seguire fino a casa. Quando arriva si muove assieme a me, quasi anticipandomi.

A un metro da casa corro. Mi fa male tutto quando scatto, la testa, la schiena, le reni, la gamba, il gomito, ma ci provo lo stesso. Mi piego in avanti e parto, spingendo sulle punte dei piedi, i gomiti su e giú a pompare aria. Fosse piú lontano non ci riuscirei, ma l'apertura del mio portone, i due scalini che lo sollevano dalla strada, sono vicinissimi e mi ci tuffo dentro. Mi attacco con la mano alla porta e me la sbatto dietro con tutta la forza che ho, perché se gliela chiudo in faccia sono salvo, ma il battente è attaccato al muro da una catenella, maledetta, e la porta resta lí, dura, e la mano mi scivola via, con un male che sembra mi si siano staccate tutte le dita. Volo su per le scale, a tre a tre, attaccandomi alla ringhiera, sicuro che non ce la farò, perché io sto al terzo piano, perché non c'è nessuno in quello scalone, perché lui corre piú forte e appena può mi raggiunge e mi uccide.

Sul primo pianerottolo c'è il passeggino della signora Righi, fermo accanto alla porta. Lo strappo dal muro, lo lancio di sotto e quello, per adesso, mi salva la vita.

Arrivo al mio piano da solo, frugo nella tasca per cercare le chiavi e sono sicuro che il vantaggio è troppo poco, che lui adesso mi arriva dietro e mi uccide. Invece niente, riesco a tirarle fuori, apro la porta e entro.

Il Cane mi arriva tra le gambe e mi fa cadere a faccia in giú sul pavimento. Passa un secondo prima che mi riprenda, poi mi volto e vedo che la soglia è ancora vuota. Allora con un calcio chiudo la porta.

Urlo: – Morbido! – ma non mi risponde nessuno. Allontano il Cane che mi sta leccando la faccia e cerco di tirarmi su. Mi fa male dappertutto e cado in ginocchio.

– Cazzo! – urlo al Cane, cosí forte che lui si allontana e si ferma a guardarmi, la testa un po' inclinata da una parte, perplesso. Mi tiro su appoggiandomi al muro con le mani e arrivo fino al tavolino col telefono. Stupidamente, mentre sollevo la cornetta, penso che il 113 non dovrebbe venire segnato dal contascatti. Ma non lo compongo neppure. Il telefono non dà il segnale. Solo un fruscio opaco che mi riempie l'orecchio.

In quel momento, il Cane si volta verso la porta. Alza il muso e lo punta verso l'ingresso, fa un passo avanti e si blocca. Abbassa la testa, solleva le labbra agli angoli della bocca, scopre appena i denti e comincia a ringhiare.

Vedo la porta che si scuote. Il pomello che vibra, come se dall'altra parte qualcuno cercasse di aprire. Guardo la catenella e vedo che penzola inutile lungo lo stipite. Guardo la fessura tra i battenti e vedo che non ho neppure girato una mandata. C'è solo lo scrocco a chiudere tutto. Non ho il coraggio di muovermi. Dovrei saltare fino alla porta, in qualche modo, girare il chiavistello e mettere la catena, ma non ci riesco, perché appena provo a pensarlo, lui mi chiama, da fuori.

– Alessandro. Per favore.

Il Cane ringhia. Sordo come il motore di una macchina diesel, compatto e costante, un rumore continuo che varia soltanto quando deve prendere fiato. E anche allora non si interrompe ma sembra tornare indietro un attimo, per ricominciare subito come prima. Quando la porta si scuote ancora, piú forte, il Cane abbaia una volta, con un colpo rapido di mascelle, come un'esplosione, cosí secco che non sembra neanche rimbombare nel corridoio. La porta smette di scuotersi. Resta immobile, nera e silenziosa per un momento. Poi, fuori, sul pianerottolo, c'è qualcosa che scatta, qualcosa di metallico che scorre, come nei film con le pistole. Un attimo dopo, c'è qualcosa che tintinna. Un ferro sottile spunta da dentro la serratura e comincia a muoversi, a destra e a sinistra.

Il Cane abbaia. Riempie il corridoio di schianti che si accavallano uno sull'altro strozzati, e si avvicina alla porta ma senza toccarla. Fa anche qualche passo indietro, rinculando in silenzio, poi ricomincia ad abbaiare. Non ce la faccio piú. Mi addosso al muro e scivolo per terra, strisciando sul pavimento mi allontano finché non finisco con le spalle contro l'angolo. Mi copro le orecchie con le braccia e lancio un urlo che non sento, perso in quel latrare feroce e impazzito, e l'unico altro rumore che mi sembra di sentire è lo stridere del ferro nella serratura, nel blocco di ottone rotondo che ha già cominciato a muoversi, mezzo giro a destra e mezzo giro a sinistra. Adesso apre. Adesso apre e mi uccide. Adesso apre, entra e mi uccide.

Di colpo, il Cane smette di abbaiare. Non ringhia neanche piú. Il silenzio improvviso mi fora le orecchie, mi sibila intenso dentro la testa, come volesse spaccarmi i timpani da dentro.

– Abbaia! – urlo. – Non smettere! Abbaia! Ringhia, cazzo! Abbaia!

La paura, il terrore, mi gela il sangue e mi copre la schiena di brividi. Mi sembra di sentirlo sussurrare, pianissimo, e non una voce sola ma tante, «Alessandro, apri, Alessandro, apri». Mi schiaccio le mani sulle orecchie e urlo con tutto il fiato che ho in gola, guardo la porta che si apre e urlo, chiudo gli occhi e urlo, steso sul pavimento, piegato su me stesso come un feto, urlo, con la bocca spalancata sulle piastrelle fredde, urlo, finché qualcosa mi afferra, mani mi prendono la testa, mi sollevano, mi schiacciano contro una spalla che sa di donna, sa di mamma, e mi stringono, occhi serrati e bocca aperta contro stoffa calda di pelle, e una voce, di donna: – Calmati, è finito, calmati... Polizia, ispettore Negro... sta buono, calmati.

Stacco la testa da quella spalla e guardo la ragazza che mi tiene tra le braccia, inginocchiata accanto a me. Sulla soglia c'è un uomo, piú anziano e robusto, che impugna una pistola a due mani,

puntata verso l'alto. Guarda il Cane e sembra spa-
ventato.

    – Cristo, Grazia, occhio! Quello è un pit bull!

    Inspiro per raccogliere tutta la voce che mi re-
sta e la soffio fuori, tra le lacrime che mi friggono
in gola.

    – No, – rantolo, – è un american stafford…
sembra un pit bull ma non lo è.

Pensava: basta poco per sembrare un altro.

Innanzitutto i capelli. I capelli vogliono dire molto. Piú sono lunghi e piú sfilano il viso, lo coprono, creano giochi d'ombra che lo fanno sembrare piú magro. Se mancano invecchiano. Se sono corti, dipende: a spazzola, folti, induriscono. E poi: a coda, tinti, rasati, cotonati, col riporto. Sono facili i capelli. Basta tenere cortissimi i propri, al limite schiacciarli con una garza e mettere una parrucca con un buon fissatore. Una calotta Glatzan può anche cambiare la forma della testa.

Poi gli occhi. Lenti a contatto di tutti i colori ma non solo. Essenziale: depilare e ridisegnare le sopracciglia. Infoltirle con qualche filo di crespo, allontanarle o unirle. Cambiano la forma degli occhi e quasi tutto il taglio del viso, le sopracciglia.

I denti: fondamentali. Sani e bianchi, bianchissimi e finti, gialli e malati. Una buona protesi, anche non completa, gonfia le labbra o le assottiglia, cambia tutto il disegno della parte inferiore del volto. Barbe e baffi: ovvio. Spessori di gomma per ingrassare le guance: ovvio. Ciambelle e cuscinetti per allargare le spalle, i fianchi, la pancia, il sedere: banale.

Il naso: Grease, fondo speciale per protesi in lattice e gesso. La pelle: fondotinta Dermacolor

Kryolan in tubetti da quindici grammi. Rughe agli angoli degli occhi e macchie epatiche sul dorso delle mani. Chiazze di nicotina tra le dita. Tagli, calli e unghie spezzate.

I movimenti. Gli atteggiamenti. I tic. Ogni persona ha la sua velocità. Il ritmo dei gesti, lento, rigido, trattenuto, veloce, isterico, morbido, tonico.

Sempre: un particolare dissonante. Evitare il tipico. Una contraddizione coerente rende tutto piú autentico.

Quando serve: un particolare evidente. Quello che si nota di piú spinge il resto in secondo piano, fuori fuoco. Un uomo che zoppica è l'Uomo che zoppica. Un ragazzo col piercing è il Ragazzo col piercing. Un vecchio prostatico col naso rotto è il Vecchio prostatico col naso rotto. Attenzione: mai lasciare che il particolare sia cosí forte da incuriosire, stimolando a osservare con interesse anche il resto. Deve venire fuori nel ricordo, quando ci si pensa, imporsi su tutto, a forza e catalizzare la memoria, sí, mi pareva che zoppicasse, da che gamba, sinistra, credo, sí, era la sinistra, sí, ora lo ricordo, ora lo vedo, come fotografato, era un Uomo che zoppica. Sapere sempre chi saranno i possibili testimoni. Adattarsi. Adattarsi. Adattarsi.

Pensava: basta poco per sembrare un altro. Piú difficile è essere un altro.

In macchina, fermo all'autogrill, imboscato dietro due camion parcheggiati in fondo alla piazzola, Vittorio alzò la testa per vedersi nello specchietto retrovisore e controllare che il fondotinta abbronzante fosse uniforme su tutto il volto. Finí di spalmarlo sul collo, fino a dove sarebbe arrivata la camicia, e poi lo stese anche sulle mani, sfregandole assieme. Aveva già inserito la spina della

piastra per lisciare i capelli nella presa dell'accen-
disigari e il lungo becco di metallo cromato doveva essere ormai caldo. Prese dalla borsa sul sedile
di fianco una matassina di crespo color pepe e sale e ne strappò un po'. Lisciò i fili ruvidi e rag-
grinziti con la piastra, finché non ottenne una massa fluente e morbida come un pennello da barba.
Gli dette piú o meno la stessa forma quando li ap-
plicò sotto il naso e attorno al mento, in un piz-
zetto curato e folto, precocemente brizzolato. Fece lo stesso per le basette, corte fino a metà orecchio, e scelse dalla borsa una parrucca dello stesso
colore, corta e appena un po' stempiata. Sollevandosi sul sedere per avvicinarsi allo specchietto controllò che la calotta di lattice aderisse perfetta-
mente alla fronte e fosse dello stesso colore. Poi
prese una pinzetta sottile e stringendone assieme
le punte le usò per grattare via fili di fondotinta
agli angoli degli occhi e della bocca. Da un astuccio dentro la borsa scelse una protesi piccola, solo
i quattro denti davanti, ma piú bianchi e piú gros-
si del normale.

Solo a quel punto si appoggiò indietro, contro il
sedile, e orientò lo specchietto per guardarsi a distanza. Un bell'uomo, tra i quaranta e i cinquanta,
abbronzato, con quelle rughine sottili e piú chiare
che vengono a chi sta al mare, e pesca o cammina
sulla spiaggia. Un bell'uomo che ci tiene a sembrare piú giovane. Forse è piú sui cinquanta che i quaranta... guarda, ha i denti finti.

Vittorio annuí e sperò che a Sabaudia fosse ancora caldo. Nel baule della macchina, per cambiarsi in linea col personaggio, aveva solo una po-
lo nera a maniche corte.

Al pronto soccorso, Alex era svenuto. Non per le botte o le ferite, ma per l'odore acetato di alcool e medicine che c'era sempre in quelle stanze, assieme alla luce bianca dei neon e a un falso silenzio carico di tensione. Era sempre svenuto al pronto soccorso, anche quando c'era andato per accompagnare un amico, una volta. Lo spiegò a Grazia che fingeva di ascoltarlo paziente, steso sul lenzuolo bianco della lettiga, a torso nudo, il braccio teso di lato perché il dottore gli pulisse l'escoriazione sul gomito. Aveva un sacco di domande da fargli, Grazia, e fremeva, ma aveva paura che svenisse di nuovo, cosí gli lasciò un po' di fiato, annuendo materna. C'erano anche il dottor Carlisi, seduto sulla poltroncina dell'ambulatorio, e Matera, contro lo stipite della porta.

– Ragazzo, – disse Matera, – hai avuto davvero un gran culo.

– Lo so, – disse Alex, attento a non annuire, perché non gli avevano ancora messo il collare di gommapiuma che aveva sulla lettiga. – Non mi sono fatto quasi niente.

– No, intendevo che hai avuto culo che noi siamo...

Si fermò, perché Grazia si era voltata e gli aveva lanciato un'occhiata veloce e durissima. Stava per raccontargli come erano arrivati fino a lui. L'incendio che si era fermato quasi alla porta della loro stanza, senza toccare il cadavere di Luisa. I primi a entrare che avevano chiamato la polizia. La Scientifica a pochi metri, oltre la piazza, e il collega che aveva trovato immediatamente il proiettile di plastica e vetro e aveva avvisato quelli della Mobile, che da giorni rompevano le palle a tutti per cose del genere. Dei tre impiegati del provider mancanti all'appello avevano deciso di cercare lui per primo, perché abitava a due passi. Meglio cosí, perché gli altri due, Mauri e la segretaria, erano già morti dalla sera prima.

Ma tutto questo, Matera non avrebbe dovuto nemmeno sfiorarlo. Alex era ancora in stato di choc, leggero come una piuma, stordito dal tranquillante che gli circolava nelle vene e libero da ricordi. Ci sarebbe arrivato, ai ricordi, ma Grazia voleva che cominciasse a parlare, almeno. Cosí, invece, si bloccò. Impallidí violentemente, il dottore allungò una mano e lo colpí sulla guancia un paio di volte.

– Su, ragazzo, su... sta su...

Le labbra di Alex cominciarono a tremare e Grazia si voltò di nuovo verso Matera, che alzò le mani e uscí dalla stanza. Poi prese Alex per le spalle, gli appoggiò una mano sulla fronte, come per sentire se avesse la febbre.

– Aspetta, – disse, – aspetta...

– Luisa, – mormorò Alex, – Luisa...

– Aspetta, Ale... aspetta un momento, per favore...

Il commissario si alzò e batté una mano sulla spalla del dottore, che annuí. Prese una siringa da un tavolino e ne infilò l'ago nel tappo di gomma di una fiala. Grazia prese Alex per il volto, gli schiacciò una mano sulla bocca, come per farlo stare zitto, per impedire alle sue labbra di tremare.

– Aspetta, Ale... te lo dico io. Luisa è morta, l'hanno uccisa, volevano uccidere anche te, ma siamo arrivati noi e adesso sei salvo. Per te è finita ma per noi comincia ora... devi dirci delle cose...

Alex chiuse gli occhi, schiacciando tra le palpebre due lacrime che cominciarono a rotolargli giú lungo le guance. Risucchiò la saliva in un singhiozzo aspirato, come quelli dei bambini, e scosse la testa, mentre Grazia cercava di tenergliela ferma, e si chinò su di lui, anche, per abbracciarlo. Lo sentí contrarsi per un momento, quando il dottore gli infilò l'ago della siringa nel braccio, e poi lo sentí afflosciarsi, quasi subito.

– Voglio andare via... – le mormorò tra i capelli, – voglio andare via...

– Ci vai, stai tranquillo... vai dove vuoi. Dove vuoi andare, a casa? Ti ci portiamo noi...

– Voglio andare da Kristíne... a Copenaghen... da Kristíne... – Cercò di mettersi a sedere ma Grazia lo bloccò. Gli lasciò la testa e si alzò, ma lo teneva fermo sulla lettiga, con una mano sul petto. Alex la guardò negli occhi.

– Voglio Kristíne, – disse. – È l'unica cosa che voglio... potrò avere almeno una cosa in questa vita di merda, no? Voglio andare da lei...

– Ci vai. Non c'è problema. Ti facciamo il biglietto, lo paghiamo noi e ti mettiamo sull'aereo.

– Ho un cane...

– Ci mettiamo anche quello. Non ti preoccupare, prendono anche i cani sugli aerei. Adesso però mi devi rispondere, per favore. È stato un uomo, vero? Un uomo solo.

– Sí. Era un ragazzo con un piercing...

– No, lascia stare. Non ci interessa com'era, tanto è inutile. Dicci perché. Perché ti voleva ammazzare. Perché ha ammazzato Luisa.

Alex sospirò, chiudendo gli occhi. Grazia guardò il dottore, spaventata, ma lui fece di no con la testa. No, non si è addormentato. Alex sospirò di nuovo e riaprí gli occhi.

– Non lo so, – disse.

– Un motivo... ci dovrà pur essere un motivo, no? Pensaci, per favore...

– Non lo so.

– Qualcosa di strano che vi è successo... qualcosa che avete fatto, che vi hanno detto...

– Non lo so.

Avrebbe voluto colpirlo. Avrebbe voluto chiudere la mano che gli teneva sul petto e tirargli un pugno, e invece la chiuse, sí, ma la strinse con l'altra, mordendosi le labbra come se fosse stata anche lei sul punto di scoppiare a piangere. E lo era, quasi. Il commissario la prese per un braccio, allontanandola dalla lettiga.

– Dài... adesso si riprende, si mette a posto e domani lo interroghiamo con calma. Salterà fuori qualcosa, vedrai...

– Sí, ma quando? Ce l'avevamo qui, dottore, qui vicino... forse c'è ancora, ma adesso, non domani.

Fuori dall'ambulatorio la suoneria del telefono di Matera cominciò a squillare. Doveva essere una salsa, ma le note elettroniche erano cosí anonime e acute che avrebbe potuto essere qualunque cosa.

– Sarrina? qui non si sente un cazzo, ridillo... aspetta che vado fuori, qui ho una tacca sola... – Infilò la testa nell'ambulatorio. – È Sarrina. Chia-

ma dalla Questura. Dice che è arrivato quel maresciallo che cercavamo ma non ho capito chi. Vado
fuori un momento...

– Adesso vengo anch'io, – disse Grazia. Si avvicinò alla lettiga perché aveva lasciato il giubbotto appeso alla sedia su cui si trovava il dottore, che
si alzò per parlare con il commissario. Ricovero per
osservazione. Servizio di sorveglianza. Meglio qui
o da un'altra parte?

Grazia guardò quel ragazzo seminudo e scorticato che stava sul lenzuolo bianco, a occhi chiusi.
Così supino sembrava ancora più magro, con lo
stomaco che gli era rientrato nella pancia in un
grande buco concavo, che si alzava appena a ogni
respiro. Però non era male, pensò, non del tutto.

Alex socchiuse gli occhi e la osservò da sotto le
palpebre, lo sguardo appannato da una nebbia lontana. Aprí la bocca e mosse le labbra, come se avesse cercato la voce da qualche parte, dentro, e l'avesse trovata in ritardo, fuori sincrono con il labiale.

– Senti... secondo te dovrei andarci da Kristíne?

A Grazia vennero in mente tutti i tossici che
aveva incontrato quando era ancora sulle volanti.
Quando erano strafatti così e lei li prendeva per
un braccio per portarli via la guardavano sempre
in quel modo e le dicevano qualcosa. Matematica-
mente era sempre una cazzata e lei era abituata ad
annuire, comprensiva. Questa volta, invece, rispose seriamente.

– Sí, – disse. – Vacci. Qualunque cosa sia è sempre meglio vedersi e parlare chiaro. Magari ti sgru-
gni, ma almeno hai tentato. Però, senti... non è vero che il viaggio a Copenaghen te lo paga l'ammi-
nistrazione.

Alex sorrise. Abbassò le palpebre e le tirò su,

ma a fatica, come fossero pesantissime. Non riuscí a sollevarle piú di prima. Grazia sfilò il suo
giubbotto dallo schienale di formica della sedia del
dottore. Stava per muoversi quando sentí la mano
di Alex sfiorarle il polso.

– Senti.... non mi ricordo piú come ti chiami.
Grazia? Senti, Grazia... forse una cosa strana c'è
capitata a me e a Luisa.

In corridoio, appoggiato al davanzale di una finestra per avere piú campo, Matera aveva appena
chiuso lo sportellino del suo cellulare, quando vide arrivare Grazia e il commissario.

– C'è quel maresciallo dei Carabinieri di Como,
– disse, – è arrivato qui e vorrebbe parlarci.

– Lascia perdere il maresciallo, – disse Grazia.
– Richiama Sarrina e digli che si faccia trovare di
sotto che passiamo a prenderlo.

E tirò dritto lungo il corridoio, in fretta, mentre il commissario si buttava sul davanzale, spingendo via Matera, e chiamava il 113 col cellulare
perché avvertissero il commissariato di Sabaudia
che mandasse qualcuno da questo avvocato D'Orrico, ma in fretta, molto, molto in fretta.

– Che è stato 'sto rumore? Sovrintende'... l'ha sentito pure lei? Come una saracinesca...

– Manda a vedere Pistocchi... dov'è Pistocchi?

– Stava dietro... c'era uno che passeggiava sulla spiaggia. L'ho mandato a dirgli che se ne andasse a conchiglie da un'altra parte... sovrintende', ha sentito? Di nuovo...

– Una volante? Dottore, mi scusi ma... ha mandato solo una volante con tre uomini?

Arrampicata sul sedile della macchina, piegata all'indietro con una torsione che le faceva bruciare i fianchi, Grazia cercava di sporgersi oltre il poggiatesta di pelle per guardare il vicequestore. Bruzzini l'aveva fatta sedere davanti, o meglio, era entrato nell'Alfa blu, e si era fermato lí, sulla prima fetta di sedile, lasciandola con la portiera in mano e il tacito invito a sedere davanti, con l'autista, mentre Matera e Sarrina li seguivano con la loro macchina. Adesso la guardava sorpreso, addirittura sbigottito, come fosse la prima volta che si sentiva rivolgere una critica.

– In che senso, scusi? – disse. – Cosa dovevo mandare?

– Ma... non si rende conto? Il dottor Carlisi non le ha detto...

– Il dottor Carlisi è il dottor Carlisi, cioè un commissario della Mobile di Bologna. Io sono vicequestore aggiunto e questo è territorio di mia competenza, caro il mio... cos'è lei, signorina?

– Ispettore capo, – disse Grazia. Le faceva male la schiena in quella posizione, e avrebbe voluto lasciarsi cadere giú, sul sedile, composta, ma a quel punto sarebbe sembrata una scortesia. Cosí si pre-

se l'altro polso con la mano e fece forza sul braccio che aveva attorno al poggiatesta, come volesse strangolarlo.

– Per favore, li chiami, – disse. – Per favore,
dottore, chiami i suoi uomini alla villa e gli dica
che stiano attenti.

Bruzzini mise la mano sotto la giacca e toccò il
telefonino agganciato alla cintura. Ne sfiorò l'antenna, prima di fermarsi. Perché c'era qualcosa in
quella ragazza che lo metteva in agitazione, ma era
pur sempre un ispettore capo, neanche dottoressa,
una di quelle ragazzine che si credono Rambo e che
sicuro, guarda, quando scopano si tengono su la pistola. Bruzzini guardò il braccio di Grazia che spor-
geva nudo fuori dalla manica del giubbotto di jeans,
la sua mano piccola e scura di carnagione agganciata al polso, le dita dalle unghie corte e rotonde.
Quanti anni avrà, questa qui, si chiese. Venticinque, ventisei, e sentí il bisogno di sistemarsi dentro
i pantaloni del vestito gessato, perché anche se non
era il suo tipo, cosí poco figa e terrona, sotto doveva essere tonica e soda e liscia come... come una ragazzina, appunto. Però, nel suo sguardo, c'era qualcosa di serio, di competente e responsabile, che lo
inquietava. Lasciò il cellulare e rimise la mano sul
ginocchio, a lisciarsi la stoffa in fresco di lana dei
pantaloni.

– Marenco, – disse, all'autista, – chiama il sovrintendente e chiedigli un po' come stanno.

Grazia lasciò la presa e ricadde sul sedile, mentre Marenco staccava il microfono del radiote-
lefono e chiamava la centrale operativa perché gli
passassero il cellulare del sovrintendente.

– Che devo fare, scusate, – stava dicendo Bruzzini. – Non ho mica l'esercito, io. Qua c'è il comi-

zio di An a Sabaudia, una retata di puttane di vario colore chiesta da Latina e gli anticipi della promozione, e voi non vi immaginate neppure che macello sia l'ordine pubblico con queste squadrette di serie zeta... piú di una volante non ce l'avevo. Poi, scusate... chi è che ce l'ha con l'avvocato D'Orrico?

– Dottore... il sovrintendente non risponde.

Grazia strinse il bracciolo cosí forte che le nocche le diventarono bianche.

– Ma dài... – disse Bruzzini. – Ce l'avrà spento.

– No, dottore. Squilla a vuoto.

Grazia si torse di nuovo e questa volta montò in ginocchio sul sedile, come i bambini, aggrappandosi al poggiatesta con le mani.

– Dottore... – disse.

– L'avrà lasciato in giro... – disse Bruzzini. – L'avrà lasciato in macchina... fatti dare il numero e chiama la villa. Là ci devono stare per forza...

– Dottore, andiamo piú veloci, per favore...

Bruzzini staccò la schiena dal sedile e si tirò le falde della giacca, per stirarla. Era nervoso. C'era qualcosa in quella ragazza. C'era qualcosa che lo inquietava.

– E che cazzo... – disse, – sono tre uomini... tre uomini grandi, mica bambini. Il sovrintendente Barra, l'agente scelto Pistocchi e Carlini, agente, assistente... non mi ricordo piú. Sono poliziotti, che vuoi che gli succeda?

Grazia scosse la testa. Tirò fuori il cellulare dalla tasca del giubbotto e con un colpo di pollice aprí lo sportellino. Schiacciò il pulsante della chiamata, due volte, perché l'ultimo numero che aveva fatto era quello di Sarrina.

– Sarri'... mettete il lampeggiante con la sirena e volate alla villa dell'avvocato. Sta su questa strada...

Chiuse il telefono schiacciandoselo sul sedere e alzò gli occhi sul lunotto posteriore, per vedere il braccio di Matera fuori dal finestrino ad agganciare l'elettrocalamita del lampeggiante blu al tettuccio della macchina. Bruzzini guardò prima Grazia, poi l'auto che li superava con uno scatto, tornava in carreggiata, davanti a loro, e si allontanava di corsa, seguita dall'urlo della sirena.

– Ma come si permette... – balbettò. – Come si permette? Come cazzo si permette?

– Dottore... suona a vuoto anche la villa.

Bruzzini aprí la bocca. Si sporse in avanti e prese il braccio di Marenco.

– Perché? – chiese, senza senso. – Dove sono? Sono usciti? Che cazzo hanno fatto? I miei uomini...

– Stia zitto, dottore, – disse Grazia chinandosi per infilare una mano sotto il sedile, a cercare il lampeggiante. – I suoi uomini sono morti.

La villa era quasi sulla spiaggia, collegata alla statale da un pontile di legno che attraversava una duna sporca, coperta di ciuffi di erba secca e gialla. Sulla strada, con una ruota già nella sabbia, c'era l'auto di Matera e Sarrina, con il lampeggiante ancora acceso e gli sportelli aperti. Erano arrivati in quel momento ed erano fermi all'inizio del pontile, con le pistole in mano. Marenco fermò l'Alfa un po' piú avanti, in fondo allo spiazzo che allargava la statale, piú per motivi di abbrivio che di paura. Grazia saltò giú e li raggiunse, di corsa. Tirò fuori la pistola anche lei, e la tenne puntata per terra.

– Guardi là, – disse Bruzzini, indicando il muso bianco e azzurro della volante che spuntava da dietro la villa, in fondo a due strisce di sabbia battuta. – Ci sono, ha visto?

Grazia non lo guardò nemmeno. Fece scorrere il carrello della Beretta e cominciò a camminare lungo il pontile, con il braccio piegato e la pistola rivolta verso l'alto, pronta a sparare. Dietro, Sarrina teneva la sua con tutte e due le mani, e la puntava sulla villa. Matera tagliò direttamente la duna, anche lui con la pistola a due mani, pronta.

La villa era una costruzione squadrata e bianca. A vederla dalla strada sembrava piccolissima, poco piú di un capanno cieco, senza porte e senza finestre, al bordo della statale, ma bastava girarci di fianco per accorgersi che non era vero. Si allungava verso il mare, appoggiata su uno zoccolo di legno nero per pareggiare il dislivello con la duna. Non era bella, perché anche vista di fianco sembrava un capannone, ma un capannone grande. Il pontile correva parallelo alla villa, quasi fino al mare, seguendo una fila di finestre chiuse che a Grazia facevano paura. Ma era là che doveva essere l'ingresso, sull'altro lato, quello verso il mare.

Il sole stava calando. La luce diventava metallica e anche l'aria che veniva dal mare, salata e forte di alghe marce, sembrava sapere di ferro. Matera corse sulla duna fino all'angolo della villa e si affacciò a guardare dentro la prima finestra, con cautela, un'occhiata e via, indietro la testa. Sarrina si fermò, accucciato sul pontile, la pistola puntata. Grazia continuò.

– Pistocchi! Sovrintendente Barra!

Grazia si accucciò con tanta velocità che il sedere le rimbalzò sulle cosce. Se avesse tenuto il dito sul grilletto invece che lungo il ponticello, come stava facendo, le sarebbe partito un colpo. Vide Sarrina che faceva un gesto rabbioso verso Bruzzini, che smise di urlare e si bloccò all'inizio del pontile. Poi si voltò verso la villa e da lí, quasi seduta sulle assi di legno levigate dalla sabbia, vide qualcosa dietro una duna, piú avanti. Si alzò e corse quasi fino alla fine del pontile, dove si sollevò sulle punte dei piedi e strizzando gli occhi per filtrare il riverbero del sole che brillava sul mare riuscí a vedere quello che temeva di avere già visto. L'agente scelto Pistocchi, steso sulla schiena, con le braccia incrociate sulla faccia, le gambe aperte e il torace scoppiato fino ai polmoni. Dalle impronte degli stivali sulla sabbia e dalla posizione del berretto doveva aver fatto un volo all'indietro di almeno due metri.

– Cazzo! – mormorò Grazia. Fece cenno a Sarrina di avvicinarsi e corse verso la porta della villa, che era soltanto socchiusa. Lí attese Sarrina e Matera, che si appoggiò al muro con la spalla, ansimando.

– Occhio... ce n'è uno subito qui, nel soggiorno. Direi che è morto.

C'era. Grazia lo vide subito appena scostò la porta con una mano, restando coperta dallo stipite. Il sovrintendente Barra. Piegato su una sedia, con le braccia dietro la schiena e la testa giú, in avanti, che sfiorava il pavimento. Sul cotto levigato, a brillare della luce rossastra del tramonto, c'erano i bossoli della raffica che gli aveva squarciato le spalle fino all'osso.

Cominciava a fare buio davvero, ma il lino bianco che copriva i divani e le poltrone del soggiorno rifletteva gli ultimi raggi di sole, creando uno strano gioco di ombre che si perdevano in una penombra abbagliante.

– Accendiamo la luce? – chiese Sarrina.

– Meglio di no, – disse Matera.

Grazia entrò nel soggiorno, togliendosi immediatamente dallo specchio della porta. Anche gli
altri scivolarono nella villa e Matera, che l'aveva
vista dalle finestre, andò avanti, fino al corridoio
che usciva dal soggiorno. C'erano tre stanze sul lato sinistro. Tutte vuote, Matera già l'aveva visto
da fuori. Una era sul lato destro, in fondo. Quella, Matera non l'aveva vista.

Si avvicinarono tutti e tre, nel buio che diventava piú fitto. Grazia pensò ai bossoli che aveva visto sul pavimento, vicino a Barra. Una mitraglietta. Se il Pit bull usciva all'improvviso li beccava
tutti e tre imbottigliati nel corridoio e li faceva sec-
chi con una raffica sola. Poi qualcosa le scivolò accanto con un tonfo molliccio. Grazia piegò d'istinto le ginocchia e allargò le braccia, bloccata sul pavimento come in un gioco da bambini. Ti ho visto!
Tana, liberi tutti!

– Merda! – ringhiò Sarrina, poi piú isterico:
– Porco zio! Sono caduto su un morto! C'è uno
dei nostri, qui! Sono pieno di sangue! Minchia!
Minchia! Minchia!

– Carlini, – disse Grazia. – Adesso c'è rimasto
solo D'Orrico. Cazzo! Tutti morti un'altra volta!

– Almeno non ce li ha ammazzati sotto il naso,
– mormorò Matera. – Dài, che c'è l'ultima.

Entrarono assieme, lui e Grazia. Sarrina rimase indietro perché continuava a scivolare nel sangue e non riusciva a rialzarsi. Appena si affaccia-
rono alla porta lo videro, una sagoma immobile fu-
sa con quella che sembrava una poltrona, ritagliata
in nero contro la vetrata di una finestra da un tramonto rosso sangue. Abbassarono le pistole, con
un sospiro, e Matera accese la luce.

Fu allora che l'avvocato D'Orrico aprí gli occhi.

– Vi stavo aspettando, – disse.

La voce di D'Orrico sembrava tranquilla. Andava avanti liscia per lunghi monologhi che sembravano interrompersi solo per rispondere alle domande. Per il resto usciva dall'altoparlante del registratore compatta e sicura, addirittura sollevata a volte da una ironica falsa modestia, che spingeva in fuori le finali delle sillabe. E comunque tranquilla.

Grazia sapeva che non lo era. Aveva passato troppe ore con le cuffie sulle orecchie, ad ascoltare e riascoltare intercettazioni telefoniche e ambientali, registrate o in diretta, pulite o cariche di interferenze, in italiano o in dialetto, anche in lingue incomprensibili, per non accorgersi di certi particolari.

Intanto D'Orrico fumava. Non lo aveva visto, perché non era presente quando il magistrato lo aveva interrogato, ma lo sapeva ascoltandolo. Interrompeva le frasi con un silenzio sospeso che durava pochissimo, meno di un secondo, e quando riattaccava la voce sembrava uscirgli piú velata, fumosa. Una boccata di sigaretta. Qualche volta, solo un paio, aveva anche soffiato fuori il fumo, distintamente. Grazia sapeva sentirle, le persone che fumavano. I fumatori esperti, quelli che lo facevano da un tempo piú lungo, si rivelavano dal modo in cui costruivano le frasi, con la voce che accelerava appena per arrivare a un punto fermo quando si avvicinava il momento della boccata, e non in mezzo alla frase, a caso, dove capitava. I fumatori di sigaro si riconoscevano dalle boccate, meno frequenti, piú distanziate, perché i sigari si fumano meno in fretta delle sigarette, e anche perché molti, soprattutto quelli che preferiscono il toscano, lo tengono in bocca quando parlano, stretto tra i denti, e la voce gli esce con una specie di birignao in falsetto. Era cosí che Grazia era riuscita a identificare uno slavo della Bolognina che avevano intercettato: tra i due sospetti che parlavano era quello che fumava il sigaro.

Ma D'Orrico non fumava e basta, fumava molto. Fumava troppo. Una boccata dietro l'altra, con pause cosí veloci che dopo un po' ci si abituava ed era difficile accorgersene perché sembrava una cadenza voluta, da avvocato. Poi, parlava spedito, ma non era tranquillo. Sembrava sicuro perché parlava tanto ma le costruzioni delle frasi non sempre arrivavano a qualcosa, e le parole, a volte, sembravano essere lí per occupare lo spazio, per riempire un silenzio che doveva fargli paura. D'Orrico non era tranquillo, si stava cagando addosso e tutto il suo sforzo arrivava appena a dissimulare il tono di voce.

Diceva: – Ho conosciuto il Pit bull nell'agosto del 1996. Mi ha contattato lui ma non fisicamente. È arrivato a me attraverso un sito particolare, che riguarda un certo tipo di preferenza sessuale di cui adesso (boccata) non voglio parlare, anche se mi riservo di farlo se e quando mi verrà contestato il reato. Dunque (boccata) non so come avesse fatto ad avere indirizzo e password perché non mi è parso interessato al nostro sito ma piuttosto

ad altro (boccata), alle mie conoscenze e ai miei
contatti nell'ambiente finanziario e imprendito-
riale, nonché a quello (boccata) che si muove in
ambito illegale...

Diceva: – Sono stato per lui una specie di agente, di procuratore (boccata), trovavo i clienti, rac-
coglievo le informazioni sulle vittime e gliele man-
davo via e-mail, in codice, a un indirizzo pulito.
(Boccata). Se dovevamo comunicare piú in fretta ci
davamo appuntamento, sempre via e-mail, su una
chat prestabilita e parlavamo in privato, da un posto pubblico. L'ho fatto sempre (boccata), tranne
una volta, e proprio quella suona il telefono e una
ragazza mi dice «Bastardo!». È bastato controllare
il numero che era rimasto sul display per scoprire
che (boccata) era un provider, ma ormai (boccata) il
guaio era fatto. E dire che non ho mai sbagliato una
volta, mai fregato una lira, perché provvedevo anche a ricevere i soldi e inoltrare i pagamenti.

Grazia alzò gli occhi alla sua lavagna magnetica. Sulla superficie bianca aveva tracciato una lunga linea a pennarello che portava dalla foto del pit
bull a un'altra macchia di post-it. Quello al centro
lo aveva staccato dalla raggiera attorno alla foto
del cane e lo aveva spostato piú in basso. Era il numero sette, quello su cui era scritto «Come si fa
pagare?» Attorno ne aveva altri con nomi di banche e numeri di conti correnti, poi aveva smesso
di attaccarne, nonostante Carlisi avesse messo due
agenti della Mobile a lavorarci su, con l'aiuto della Finanza. Come aveva smesso di attaccare quelli alla fine della freccia che partiva dal numero 3,
con «Bravo con le armi. Dove le trova?» sottoli-
neato piú volte. Quel punto l'aveva chiarito D'Orrico, quasi alla fine del nastro.

Aveva detto: – Credete che non l'abbia cercato? Che non abbia (boccata) fatto di tutto per scoprire chi era e dove stava? Mi aveva proibito di
farlo ma io (boccata più lunga, lo sfrigolio della
punta della sigaretta che si accende) l'ho fatto lo
stesso e per due motivi. Primo: tra le vittime dei
nostri clienti abbiamo avuto qualcuno i cui parenti sarebbero stati disposti a pagare molto per rivoltare il contratto e far fuori il killer. Per me il Pit
bull era la gallina dalle uova d'oro, ma un paio di
volte è arrivata un'offerta che sarebbe stato (boccata) veramente difficile rifiutare. Secondo: (boccata) volevo coprirmi le spalle. Non mi sembrava
che il Pit bull fosse nato con me e allora (boccata)
che fine avevano fatto i suoi precedenti procuratori? Quanto sarei durato ancora (boccata) io?
Quindi l'ho cercato, ma non l'ho trovato. Quando
si è messo in contatto con me lo ha fatto con chat
e e-mail spedite da posti pubblici, ma questo lo sapete. Ho fatto seguire i soldi ma (boccata) ci siamo
impantanati in una serie di conti cifrati che salta-
vano da una banca all'altra, tra la Svizzera e San
Marino, e poi sparivano oltre il confine. L'unica
descrizione che sono riuscito a avere di un certo
(boccata) dottor Franz che versava e ritirava in contanti è stata quella di un uomo sulla settantina con
una cicatrice sul naso e che, comunque, aveva già
chiuso il conto da almeno sei mesi. (Boccata). Ho
cercato di individuarlo attraverso le armi, i proiettili e tutto quello che gli serviva per portare a termine i contratti, ma non ci sono riuscito. Il suo ar-
mamentario non viene dai canali convenzionali della malavita, né italiana né estera (boccata). Come
sapete non è difficile comprare un mitra dai croa-
ti o bombe dagli albanesi, e alla fine, se è la gente

giusta che glielo chiede, si può sapere. Qui no. O è andato da solo (boccata) a rifornirsi in loco e poi ha ammazzato il fornitore (boccata) oppure è andato a fare la spesa in armeria ma (boccata) ne dubito. Per il resto, nessun contatto, con nessuno. Sembrava che fosse molto più preoccupato (boccata) di essere venduto da qualche pentito che di essere preso (boccata) dalla Polizia...

Grazia appoggiò il registratore sul cuscino e si alzò dalla brandina su cui era seduta. Camminando in punta di piedi, perché si era tolta gli anfibi e il pavimento sporco le dava fastidio sotto la stoffa sottile delle calze, si avvicinò alla lavagna. Fissò il cane della fotografia che la ricambiò con uno sguardo vuoto ma feroce. In un primo momento aveva usato la foto di un pit bull dopo un combattimento, fotografato di fronte mentre latrava impazzito, il muso sfregiato da cicatrici rosse, il naso aperto su un lato, un'orecchio quasi staccato. Lo aveva preso da Internet e attaccato sulla lavagna, poi lo aveva tolto. Quel povero cane addestrato da qualcuno a farsi massacrare le faceva pena, e lei non voleva provare pena per il Pit bull. Voleva prenderlo.

D'Orrico aveva detto: – Per me (boccata), o meglio, con la mia mediazione ha portato a termine dodici contratti (boccata). Noi li chiamavano incontri. Erano quasi sempre cose particolari, eliminazioni per cui le organizzazioni criminali chiedevano una persona *super partes*, obiettivi particolarmente protetti o eclatanti (boccata) ma anche privati che volevano un lavoro ben fatto e senza rischi. Il fatto è (boccata) che quella del killer professionista, in Italia, è una figura ancora marginale, una specialità criminale che prima era monopo-

lio delle organizzazioni mafiose o veniva esercita-
ta (boccata) da qualche balordo da bar. Il Pit bull
era sul mercato per (boccata) coprire questo buco...

Grazia si avvicinò al cane cosí tanto da poter
sentire l'odore acido della rivista da cui aveva ri-
tagliato la foto. Cosí attaccato, quasi occhi sugli
occhi, il muso del cane si confondeva e diventava
una macchia opaca e indistinta. Grazia si fece indietro di un passo, poi ancora, fino a sentire contro il sedere il bordo del tavolino del computer.
Non voleva essere confusa, voleva vederlo chiaramente quel muso. Aveva visto troppi cadaveri, stesi su pavimenti di case abbandonate da giorni, lasciati in fondo a fossi di campagna, o in fotografia,
sul tavolo mortuario, nudi, bianchi e osceni, con lo
sguardo che finiva per caderle sempre lí, in mezzo
alle loro gambe, proprio perché lí non avrebbe dovuto guardare. Non voleva essere confusa. Voleva
vederlo bene quel muso. Voleva metterci una faccia, là sopra, una faccia di uomo e non di cane. Voleva prenderlo.

D'Orrico: – Non l'ho mai visto di persona. Non
gli ho mai parlato al telefono. Non so che faccia abbia, non so come sia fatto, non so come si chiami.
Ero sicuro che mi avrebbe ucciso. E invece mi ha
detto di aspettarvi qui e di raccontarvi tutto.

Quando stai guidando in autostrada, e ti chiamano al cellulare, e rispondi, e ti chiedono dove sei, e tu dici «Sono a Pescara», non è vero. Non è lí Pescara, ci sono ancora due chilometri di rampe e di svincoli e altri nove di statale, e quando si è a undici chilometri da un posto non si è lí, ma da un'altra parte. Se poi resti al telefono ancora una decina di minuti, e dall'altra parte ti chiedono «Scusa, dove hai detto che sei?» non puoi piú dire che sei a Pescara, ma a Roseto degli Abruzzi, se vai a nord, o a Chieti, se vai a sud. E non sei neppure lí, a Roseto o a Chieti, ma da un'altra parte. Sei in autostrada.

Presto sarebbe arrivato il momento.

Vittorio staccò la schiena dal sedile, curvandola in avanti nel tentativo di far schioccare una vertebra. Drizzò il collo, cercando di agganciarsi con la nuca al bordo superiore del poggiatesta e stirarsi cosí, ma non serviva a niente. Sospirò, un lungo sospiro che invece di uscire fuori sembrava scendergli dentro, caldo, intenso e vibrante di emme. Neanche quello gli dette sollievo, formicolò per un momento tra i muscoli contratti e sulle ossa indolenzite, e poi si sciolse, lasciandolo come prima. Appoggiò il gomito sullo stipite del finestrino, cercando di incastrarne la punta tra il metallo e la gommina, ma dopo un po' gli fece male e dovette toglierlo, lasciando cadere i gomiti pesanti lungo i fianchi. Spostò le mani piú in basso, scendendo dalle dieci e dieci alle otto e venti.

Perché in autostrada conta non *essere* ma *muoversi*. A una ragionevole distanza, puoi dire di essere a Pescara anche se non ci sei, perché ci stai andando. Per un corpo in continuo movimento la direzione è piú importante del punto preciso, che un attimo dopo non c'è piú. L'autostrada *è* movimento. Quando c'è una macchina ferma sulla corsia d'emergenza tutti si chiedono «Che fa quello lí», come fosse un clandestino, un infiltrato, un intruso. E quando la macchina ferma è sulla corsia di marcia allora è piú di un intruso, è un nemico, è un pericolo, è la morte. La cosa peggiore che possa succedere in autostrada è fermarsi, lo stridere improvviso della frenata, l'ingorgo, la coda, l'incidente. In autostrada la vita è movimento continuo, costante, senza interruzioni. Per questo, a volte, ci si ferma in autogrill solo quando la vescica è cosí tesa che fa male.

Vittorio mosse le gambe. Appoggiò il bordo della suola della scarpa destra contro la carrozzeria dell'auto, sotto il cruscotto, senza staccarsi dalla leva dell'acceleratore. Cercava in qualche modo di aderire alla gomma lanosa che ricopriva la lamiera per alleggerire il tendine della caviglia, bloccato nella stessa inclinazione per tenere la lancetta del tachimetro fissa sui centodieci, linea bianca su linea bianca. Piegò il ginocchio sinistro, appoggiando la suola della scarpa sulla rientranza rotonda del copriruota, poi si mosse di nuovo, infilando la gamba quasi sotto l'altra, il fianco del piede a contatto col tappetino, una sporgenza della gomma che gli feriva il malleolo. Sentiva il desiderio irresistibile di fare una delle due cose che non si possono fare guidando: accavallare le gambe. L'altra era chiudere gli occhi.

Pensò: tra poco sarà il momento.

Aveva preparato tutto.

Aveva bisogno di due posti. Uno era facile, bastava un luogo qualunque, purché fosse abbastanza isolato. Era sicuro che avrebbe trovato quello adatto, una cascina nelle valli di Comacchio, o una baita sull'Appennino, non aveva importanza. L'altro era piú difficile, ma alla fine l'aveva trovato, poco prima dell'uscita di Imola. Era una stradina sterrata che scendeva tra i campi in un terrapieno stretto, parallela al piede di cemento di un cavalcavia. Pochi metri in giú, quasi nel campo, e c'era l'asfalto nero della strada che correva sull'argine del canale, fino alla statale. Pochi metri in su, e c'era un cancelletto quadrato di tubi e rete intrecciata, chiuso da una catena con un lucchetto. Oltre il cancello, dove iniziava una piazzola per metà sotto il cavalcavia, c'era l'autostrada.

In autostrada, guidando, si possono fare molte cose. Ascoltare musica, parlare al telefono, pensare, cantare, bere, grattarsi. Ci si può togliere la giacca tirando su il braccio dentro una manica, spingendo con la spalla per farla uscire fuori, sfilare il gomito, tirare l'altra manica, sfilare l'altro gomito e togliersela da dietro la schiena prendendola dal colletto e appoggiarla per bene sul sedile di fianco. Si possono aprire lettere grattandone la chiusura gommata con la punta di un'unghia fino a sollevarne un angolo, prenderlo con l'indice e il pollice e tirare, tenendo schiacciata la lettera sul sedile, col palmo, poi infilare un dito nel buco e squarciare, passo per passo, con la mano che striscia sulla carta come una lumaca. Si può mangiare un'intera confezione di salamini piccoli infilando la punta di un coltellino nella plastica che li contiene e tirando di lato per aprirne un pezzo da cui farli uscire uno a uno, come bolle gonfie e rotonde, tenute assieme da uno spago infarinato. Poi basta separarli spingendo con l'indice la lama sulla strozzatura di budello e spago, tenerne uno, portarlo sulla cima del volante, dove le mani possono congiungersi e lí tagliarlo sul dorso, sbucciarlo e mangiarlo. Si può anche fare l'amore, tirarsi giú la zip dei pantaloni, scostare l'apertura dei boxer e spingersi con la schiena contro il sedile, le braccia tese, i denti stretti e gli occhi aperti per non lasciarsi annebbiare la vista. Quello che non si può fare è sollevare le gambe sul sedile e intrecciarle nella posizione del loto. Leggere un libro o guardare la televisione. Dormire. Tenere a lungo gli occhi in un'altra direzione che non sia davanti.

Quando aveva notato il cancello di servizio della piazzola, Vittorio si era segnato mentalmente la posizione per cercare di rintracciarla dall'altra parte, fuori dall'autostrada. Non era stato facile. Oltre il guardrail, oltre il fossato e oltre la rete che costeggia l'autostrada il mondo è completamente diverso. Non è vero che dentro sia tutto uguale. L'asfalto è diverso, piú nero o piú grigio, a volte quasi bianco, e scrocchia sotto le ruote in maniera differente, gratta, scorre, raspa, o salta. Il guardrail è diverso, il paesaggio davanti è diverso, gli autogrill sono diversi e se non li conosci, se li prendi a caso, puoi trovarti dentro la casermetta stretta di un Alemagna, con il telefono tra i giornali e il bagno fuori, dentro la baita montanara di un Autogrill, con lo Spizzico e il self service, dentro il grattacielo di un Fini, con i tortellini espresso, o nel ponte di un Pavesi, con le macchine che ti sfrecciano sotto. Ma è sempre autostrada, una geografia lineare, che non segue il paesaggio ma lo taglia e che può essere disegnata come un albero da bambini: con due righe parallele e righine singole che se ne distaccano, tutte uguali a parte l'indicazione sul cartello dell'uscita. Fuori no. Soprattutto appena fuori. Là c'è una striscia stretta come la terra di nessuno tra due confini, che non è più autostrada ma non è ancora mondo. Sono bordi di campi coltivati, limiti di cortili di fabbriche, strapiombi, fossati, canali, finali di giardini sotto facciate di case dalle finestre serrate.

Lí Vittorio aveva trovato il posto giusto. Lungo la statale sull'argine, a un paio di chilometri dal cancelletto dell'ingresso di servizio dell'autostrada. Una chiesetta sconsacrata immersa in una macchia di sterpaglie, con le mura di mattoni scorticati a vista, una finestra chiusa da un'asse inchiodata e il tetto schiacciato da una parte, come se un gigante ci si fosse seduto sopra. Doveva essere stata la cappella di un complesso colonico, tanto tempo prima, ma adesso non era più niente, solo un rudere al limite di un podere di proprietà di un'azienda agricola. Il fattore era stato contento di affittarlo in nero e sottobanco a quel signore di città che voleva tenerci il camper per andare a pescare.

Vittorio rallentò, scalò le marce fino alla seconda e frenò cercando la coda in cui infilarsi per arrivare al casello. Quella dove si paga in contanti, questa volta.

All'inizio aveva pensato a un furgoncino, ma aveva scartato l'idea perché ogni tanto, al casello, la Finanza li ferma per controllare carico e bolla d'accompagnamento. Meglio un camper, un piccolo camper, che aveva rubato a Padova, di notte, dal garage di una villa. Lo aveva portato nella cascina per ridipingerlo, montarci uno stereo e un trasmettitore Cb come quello dei camionisti, e avvitarci le targhe che aveva rubato al parcheggio di sosta prolungata dell'aeroporto; targhe pulite, sostituite con altre sporche di cui forse i proprietari non si sarebbero accorti mai. Con quello era andato a San Marino a ritirare dalle banche trecento milioni in contanti, poi era passato dal suo ufficio e aveva riempito una cassetta da pescatore di fondotinta, lenti a contatto, protesi dentarie e parrucche, tutti divisi per bene nei loro scomparti. L'aveva messa nel camper, assieme a un'altra, piena di ami, piombi e rocchetti di filo, buttati alla rinfusa per coprire la 22 e i due silenziatori che stavano sul fondo, avvolti in uno straccio imbevuto d'olio.

Se avesse avuto il cellulare acceso e qualcuno, magari Annalisa, gli avesse telefonato per chiedergli dov'era, avrebbe detto «A Bologna», anche se era ancora lontano e aveva almeno mezza tangenziale da fare. Avrebbe voluto essere già a casa, perché si sentiva stanco.

Mia madre dal piano di sotto che urla: – È per te!

Mi affaccio sulle scale, sporgendomi oltre la ringhiera, ma non la vedo. Chissà dov'è. Ha sempre questo cazzo di abitudine di urlare da una stanza all'altra senza che si capisca quale. Urlo anch'io.

– Telefono o la porta?

– La porta!

Mi stupisco, perché non ho sentito il campanello. Poi penso che è normale, ero in cuffia, in camera mia, con la musica alta. Mi sporgo ancora di piú, col rischio di cadere di sotto. La vedo, ne vedo un po', oltre il bordo del pianerottolo, piú o meno davanti alla porta d'ingresso.

– Chi è? – chiedo.

– E che ne so? È per te!

– L'hanno visto i poliziotti?

– Non ci sono piú i poliziotti!

Come, non ci sono piú i poliziotti. Da quando mi hanno rimandato a casa dai miei, a Ravenna, c'è sempre stata un'auto davanti a casa mia e un'altra che girava ogni tanto. Tutti quelli che sono venuti, il primo giorno, hanno dovuto fermarsi e far vedere i documenti ai poliziotti. Il primo giorno, perché poi non è venuto piú nessuno.

Sento la porta d'ingresso che si chiude. Mia madre che parla, capisco qualcosa tipo «È su, vada

pure su», e sento qualcuno che sale. Stringo le mani attorno alla balaustra e trattengo il fiato, perché
mi è tornata la paura. C'è un passo rapido su per la
prima rampa di scale, dita che strisciano lungo il corrimano. Poi la persona che sta salendo gira il primo
angolo e io chiudo gli occhi e sospiro, perché la vedo. È quella ragazza della polizia, che non ricordo
mai come si chiama.

– Che c'è? Ti ho fatto paura?

– No, – le dico. – Ci mancherebbe.

La faccio entrare e mi faccio seguire fino in camera mia. Io dico: – Scusi il disordine, – e lei: –
Dammi del tu, per favore –. Poi le libero una sedia
da un viluppo di mutande e di calzini che butto
nell'armadio. – Sono puliti, – dico, – mia madre ha
fatto il bucato –. È rimasto fuori un calzino e lo ri-
caccio dentro con un calcio. Lei non si è seduta. Si
è avvicinata al letto e ha preso in mano le cuffie,
da cui esce un fruscio scorticato.

– Cosa ascoltavi? – chiede.

Stacco lo spinotto delle cuffie dall'amplificato-
re e mi affretto a regolare il volume, perché è uscito un graffio distorto di musica troppo alta.

– Tenco, – dico. – *Un giorno dopo l'altro*.

– Bello, – dice lei. – Triste.

La botta ha fatto alzare la testa al Cane, che stava dormendo sul letto, sotto un cuscino rovesciato. Lei si avvicina e gli mette la mano davanti al
muso, prima a distanza e poi piú vicino. Lui non
l'annusa neanche. Lascia cadere il naso sul cuscino e si addormenta.

– Sei sicuro che non è un pit bull? – dice lei.

– Sono sicuro. È un'altra cosa.

– Toh, allora.

Mi passa un pieghevole dell'Alitalia. Sopra c'è

scritto «Norme per il trasporto degli animali in aereo». Dentro c'è un altro pieghevole con tutto quello che si deve fare per portare un cane all'estero. Li prendo e me li rigiro tra le mani. Un nodo umido mi stringe la gola e devo tossire piano, per mandarlo via.

– Grazie, – dico. Lei mi guarda lasciare i pieghevoli sul letto e annuisce. Si appoggia allo schienale della sedia che le ho liberato.

– Non sono venuta qui per questo, – dice. – E anche all'aeroporto... sto interrogando di nuovo tutti quelli che hanno avuto a che fare con il Pit bull, e visto che ero là e che dovevo venire qui...

– Il Pit bull?

– Sí, l'uomo che voleva ucciderti. Noi lo chiamiamo cosí.

– Perché non l'ho ancora letto sui giornali?

– Perché lo stiamo tenendo nascosto. Pensiamo che abbia un piano in testa e non vogliamo fare il suo gioco.

– Qual è questo piano?

– Non lo so.

– Perché non mi ha ucciso per la strada?

– Perché aveva proiettili particolari, meno potenti. Doveva avvicinarsi per essere sicuro.

– E perché aveva quei proiettili?

– Non lo so.

– Chi è quell'uomo?

– Non lo so.

– Lo prenderete?

– Sí.

Gira attorno alla sedia e si siede. Si toglie il bomber verde oliva e la guardo. Non cosí, dritto e scoperto, mi chino sul Cane, lo gratto sulle orecchie e le lancio un'occhiata. È carina, molto. Mediterranea. Rotonda ma snella. Vestito nero, corto sulle gambe, calze nere e anfibi. Lo schienale della sedia è curvo e il bomber le scivola per terra, sbattendo la tasca con un tonfo metallico e pesante. Lei si china a prenderlo e le scivola fuori una scatolina piccola, che rotola fino alle mie ciabatte. La raccolgo e prima di dargliela la guardo.

– Oh, – dico. – Sei incinta?

– Non lo so, – dice lei.

– Hai fatto il test?

– No.

È arrossita, ma poco. Ha stretto le labbra e si è guardata attorno, come se fosse improvvisamente molto interessata alla mia stanza. Mormora: – Cazzo se è triste questa canzone... – Poi cerca di infilare la scatolina nella tasca del bomber ma non ci riesce, cosí la appoggia per terra, vicino alla sedia. Accavalla le gambe e lí mi scappa di guardarla meglio. Lei se ne accorge e le separa. Le allunga sul pavimento, stringendole.

– Senti, oltre a farti qualche domanda sono venuta a dirti di persona perché non c'è piú il posto fisso.

– Il posto fisso?

– I poliziotti...

Ah, pensavo il provider. Quello lo so perché non c'è piú, è bruciato e sono morti tutti.

– Non hai piú bisogno di scorta. Abbiamo preso il vostro D'Orrico e mo' per il Pit bull non c'è motivo di farti fuori. Da quello che ne so non ha mai ammazzato nessuno senza una ragione.

– Speriamo che questa non sia la prima volta.

Sorride, ed è ancora piú carina. Ha un sorriso aperto, molto concreto, quasi infantile. Quando sta seria sembra piú ruvida, ma quando sorride si vede che è una ragazza solare. Selvatica e solare.

Gira la testa verso le casse dello stereo, corrugando la fronte, sorpresa. Dice: – Ma è sempre la stessa canzone?– e io annuisco, perché ho messo Tenco in *repeat*, all'infinito.

– Senti... non mi ricordo mai come ti chiami. Scusami.

– Grazia Negro. Grazia.

– Come le Tre Grazie, – dico io, stupido come sempre, e lei corruga la fronte.

– Sí... Grazia, Graziella e Grazie al cazzo. Ohé, bimbo, ricordati che sono sempre un poliziotto.

– Sei tu il capo di tutta la baracca?

– Ma no, che dici?

Sorride ancora e abbassa gli occhi. Segue con la punta di un dito il filo tirato di una calza, su un ginocchio. Poi si stringe nelle spalle. Dice:

– Aiutami, Alessa', cerca di ricordarti. Mi servono tutti i particolari che puoi. Dimmi gli occhi. Ma non mi dire la forma o il colore, dimmi il bianco... com'era il bianco? Giallo? Chiaro? Venato di rosso?

Ci penso. Cerco di rivedermi la scena, come in un film, lui che mi segue, che mi guarda, che sta fermo e mi aspetta. Chiudo gli occhi e me lo proietto dentro, come al cinema, ma è piuttosto come un sogno, che quando cerchi di ricordartelo sono piú forti le sensazioni delle immagini e se cerchi di farle combaciare, perdi tutte e due.

– Non lo so... bianco, credo. L'ho visto di corsa...

– Da giovane o da vecchio? Sano o malato? L'impressione, Alessa', l'impressione tua...

– Giovane sano. A parte la ferita alla testa.

– Che ferita?

Tira indietro le gambe, drizzandosi sulla sedia. Mi guarda cosí attenta che la voce mi si inceppa.

– Gliel'ho fatta io... – mi tocco la fronte, – con
la porta, quando gliel'ho sbattuta addosso. Un taglio... sanguinava...

Si alza, fa due passi nella stanza, mangiandosi
l'interno della guancia, spingendola giú con la punta di un dito, come a volerci scavare un buco.

– Ti serve? – le chiedo e lei fa «Sí» con la testa.

– È qualcosa, – dice. – Qualcosa da mettere sulla lavagna.

– Che lavagna?

– Lascia perdere. Dimmi la voce, Ale. Profon-
da, morbida, acuta?

– L'ho sentita poco... sussurrava.

– Meglio... quando uno sussurra fa piú fatica a
mascherare la voce. Cosa ti ha detto?

Si è alzata e si è avvicinata al letto. Con un giro della mano abbassa Tenco al minimo e lo fa spa-
rire dalle casse. Io la guardo dal basso e un po' mi
vergogno di averla cosí vicino, senza aver fatto la
doccia, con la barba sempre piú lunga, in tuta, ciabatte e calzini.

– Mi ha chiamato. Mi ha detto... «Alessandro.
Apri per favore». Non me lo scorderò mai piú. Come la prima volta che ho visto *Profondo rosso* in televisione. Come la prima volta che mi hanno buttato fuori a un esame. Come quella volta che Kristíne mi ha sibilato in danese una cosa cattiva che
non ho mai capito.

Guarda il letto come se volesse sedersi ma tra
me e il Cane non c'è abbastanza spazio. Io mi faccio da parte, ma lei appoggia solo un ginocchio al
materasso e si china, avvicinandosi. Punta una mano sulla coscia, per sostenersi. Ripete la frase a bassa voce, tra le labbra, con gli occhi chiusi.

– Le erre... mosce? Arrotate? Come?

– Non lo so... normali.

– La esse... Ale. Piú esse o piú esse-ci?

Chiudo gli occhi anch'io. Mi metto una mano sulle palpebre e cerco di tirare fuori quella voce dal nero. Me la ridico come ha fatto lei, anch'io a bassa voce, ma Grazia mi scosta la mano, mi prende il mento e mi tira su la testa, costringendomi ad aprire gli occhi.

– No, non te la ripetere come la diresti tu. Non te la ripetere. Cerca di sentirla e dimmela...

– Non lo so... la esse, la esse... Lui sussurrava, cazzo, e io avevo paura!

– Scusa.

Grazia si alza. In piedi davanti alla sedia, si appoggia allo schienale con le mani e intanto si mangia l'interno della bocca. Ha la fronte corrugata come se pensasse a qualcosa, cosí corrugata che le sopracciglia sembrano unirsi. È carina anche cosí, pensosa.

– Che c'è? – dico.

– Mi stava venendo in mente una cosa, poi l'ho persa. Lasciami perdere... tu parla, che prima o poi mi torna.

– Perché ti interessa tanto la voce?

– Perché dice un sacco di cose la voce.

– E tu come fai a saperlo?

– Perché è la mia specialità. E poi sto con un ragazzo cieco. Mi ha insegnato a essere sensibile alle voci.

– Ah, – dico.

All'improvviso si porta una mano alle labbra, spalancando gli occhi. Mormora: – Uh, Maro'! – e poi piú forte: – Uh, Maro'!

– Cosa c'è? – chiedo, ma lei non mi risponde. Sfila il bomber dalla sedia e comincia a infilarselo, guardandomi come se non mi vedesse. – Cosa c'è? – Insisto: – Grazia, cosa c'è?

– Niente, – dice lei, – mi è venuta in mente quella cosa. Scusa, Ale, devo andare via... ci sentiamo poi, scusa...

Esce dalla stanza e prima che sia riuscito ad alzarmi la sento correre giú per le scale. Vedo che sotto la sedia c'è qualcosa e mi chino a raccoglierla. È la scatolina col test di gravidanza. Credo sia inutile correrle dietro per dargliela, perché ormai ho già sentito sbattere la porta, di sotto.

*Licenza di porto d'arma corta per difesa persona-
le. Ai sensi dell'articolo 42 del Testo unico delle leggi di pubblica sicurezza e dell'articolo 61 e seguenti
del regolamento del Tuls, il Prefetto ha la facoltà di
rilasciare la licenza in caso di dimostrato bisogno alle seguenti categorie:*

*– persone che portano sovente valori, quali rap-
presentanti di gioielli, impiegati addetti a prelevare o
versare somme rilevanti;*

*– persone che hanno in negozio valori quali gli ore-
fici;*

*– commercianti che per necessità del loro com-
mercio si trovano a dover portare con sé grosse somme di denaro;*

– persone soggette a rischio di sequestro;

*– persone che svolgano attività che le espongano a
particolari rischi di aggressione o vendetta (ad esempio ufficiali giudiziari, tassisti).*

– Prima o poi lo prendiamo.

Quando Grazia era uscita dalla casa di Ale era
corsa alla macchina ed era volata in autostrada.
Tra Ravenna e Bologna la sua idea aveva cominciato a precisarsi sempre di piú, fino a diventare
l'unica spiegazione possibile. Poi, all'improvviso,
le era sembrata una enorme cazzata e le si era sgon-
fiata in testa, lasciandole una sensazione di vuoto

frizzante e di stanchezza fredda, come dopo una notte passata in bianco. Poi, piano piano, l'idea si era ricomposta, riempiendola sempre piú di entusiasmo.

In alcuni casi il Pit bull aveva usato proiettili di cera e di vetro. Proiettili non periziabili, dai quali non si poteva risalire alle armi che li avevano sparati attraverso la rigatura della canna perché la rigatura, su quei proiettili, non rimaneva. Li aveva usati soltanto in alcuni omicidi, mentre negli altri casi non si era preoccupato neppure di raccogliere i bossoli. Erano tutti omicidi in regione. Perché?

La domanda per la licenza di porto di arma corta va presentata, in bollo, al Prefetto allegando certificazione relativa all'idoneità psicofisica e alla idoneità al maneggio delle armi, rilasciata dal Tiro a segno nazionale (se si è prestato il servizio militare basta l'autocertificazione). Nella domanda bisognerà attestare, con autocertificazione, la propria residenza, di non aver rifiutato il servizio militare per obiezione di coscienza, la composizione del proprio nucleo familiare, di aver provveduto all'educazione scolastica dei figli minori. Alla domanda andranno allegate due fotografie, la ricevuta del versamento di lire 170 000 sul c/c postale n. 8003 intestato Uff. tasse e concessioni governative-Roma, nonché la ricevuta di un versamento di lire 4000 sul conto corrente postale dell'Economato della locale Questura per il costo del libretto.

– Prima o poi lo prendiamo.

Mentre stava guidando in autostrada, Grazia si era ripetuta in testa tutto il discorso, come se avesse dovuto rispondere alle domande di Matera e di Sarrina, e soprattutto del dottor Carlisi.

Lo aveva detto D'Orrico, perché. Perché il Pit bull aveva cercato in tutti i modi di evitare ogni contatto con la malavita. Aveva cercato di restare il piú possibile pulito. Aveva usato armi pulite, regolarmente comprate in armeria, regolarmente denunciate, e regolarmente portate con la licenza rilasciata dal Prefetto. Non aveva bisogno di cercare poligoni clandestini e zone nascoste in cui allenarsi, poteva andare al poligono e sparare quanto gli pareva. Quando uccideva usava proiettili normali se si trovava fuori zona e proiettili speciali quando colpiva vicino a casa, per allargare l'area di ricerca dell'arma. È piú facile andare a controllare tutti quelli che hanno una Beretta o una Smith and Wesson a Bologna, che doverli cercare per tutta l'Italia. Li aveva usati tre volte, i proiettili speciali: a Bologna, a Ferrara, e a Rimini. Dunque: il Pit bull sta in Emilia Romagna.

Ma perché il porto d'armi? Non poteva comprarle in armeria, denunciarle e portarle clandestinamente? Non poteva avere semplicemente un porto d'armi per uso sportivo con cui andarsene in giro tenendo la pistola scarica e dentro la custodia? Già...

Grazia tornò indietro col pensiero, rifece quella parte del discorso e si perse, incagliandosi su tronconi di frasi che si ripetevano all'infinito, ipnotiche e stressanti. Va bene, allora, aggiungiamo anche tutte le pistole detenute in casa e tutti i porto d'armi sportivi.

– Prima o poi lo prendiamo.

E le guardie giurate? E le forze dell'ordine? Dalla banda della Uno bianca in poi non era possibile scartare piú niente, almeno in linea teorica... E le guardie venatorie? Anche quelle, aggiungiamo anche quelle.

– Prima o poi lo prendiamo.

Bisognava restringere il campo. Per zona: Emilia Romagna. Provincia di Bologna. Provincia di
Ferrara. Reggio Emilia. Parma. Ravenna. Forlí. Rimini. Cesena? Fa provincia anche Cesena?

– Prima o poi lo prendiamo.

Restringere il campo per calibro e tipo d'arma.
Quale? Forse una 22, forse una calibro 40, forse...
di che tipo? Cercare un regolare possessore di pistola di qualunque tipo e di qualunque calibro, in
tutta l'Emilia Romagna, con licenza o meno. Quanti erano?

Quando arrivò al casello di Bologna Grazia aveva le lacrime agli occhi dalla rabbia. Le sembrava
di essere arrivata vicinissima al Pit bull e poi di
averlo perso. Se lo era visto già formato, con la licenza di porto d'armi, magari come rappresentante di gioielli, e poi all'improvviso aveva cambiato
aspetto ed era diventato una guardia giurata, un
orefice, un tassista. Un poliziotto. Stringeva i denti come da bambina, quando i maschietti delle ele-
mentari di Nardò la prendevano in giro perché era
la piú piccola della scuola. Tutti in gruppo, Di Co-
rato, Puglisi e Naccari, fermi ad aspettarla davanti alla porta, a ridere, pronti a fischiare e allungare
le mani. Dopo che ebbe parcheggiato l'auto nel
piazzale davanti alla Questura, rimase in macchina e fece come faceva allora. Respirare a fondo, abbassare la testa, sollevare gli occhi solo quel tanto
che serviva, stringere forte i denti, pensare «vaffanculo» e tirare dritto. Quando salí dal dottor
Carlisi aveva già rimesso assieme parecchi fili del
discorso e si sentiva decisa, ostinata e cocciuta come sempre. L'entusiasmo non le era tornato, ma
quello, in fondo, non era necessario.

– Prima o poi lo prendiamo, Grazia. Non è una

cattiva idea... basta mettersi lí, raccogliere dati e
controllarli –. Il commissario aveva annuito, appoggiandosi allo schienale della poltrona. Aveva
allacciato le mani dietro la nuca e annuito di nuovo con piú forza. – Sí, può essere. Prima o poi lo
prendiamo.

– Lo prendiamo quando, dottore? Qua bisogna
fare presto. Come se la spiega quella cosa di D'Orrico, lei? Perché ce l'ha mandato invece di ammazzarlo? Perché lascia pit bull dappertutto? Dot-
to', questo qua c'ha un'idea in testa. C'ha un progetto. Bisogna prenderlo presto.

– E lo prendiamo, Grazia, lo prendiamo. Prima o poi, come sempre –. Cosí aveva detto il commissario.

A Grazia, nel suo ufficio, erano tornate le lacrime. Stress, aveva pensato, vaffanculo. Le mie
cose, aveva pensato, vaffanculo. Poi si era messa
una mano in tasca, a cercare il test, e aveva trovato soltanto la pistola. Vaffanculo, aveva pensato,
era peggio se perdevo la pistola.

Allora si era avvicinata alla lavagna, e aveva tolto tutti i post-it che non dicevano nulla di sicuro,
e anche quelli che dicevano banalità, come «killer
professionista». Tutti quelli che comportavano indagini lunghe, che lei non poteva fare di persona,
come quelli relativi ai soldi. Ne erano rimasti due,
che aveva attaccato poco prima.

Sta in Emilia Romagna.

Ha un taglio sulla fronte.

A freddo, senza disperazione e senza rabbia, ma
solo con la sensazione gelida di chi si sente preso
per il culo e arriva alla razionale conclusione che
non può farci niente, per ora, Grazia strappò la fotografia del pit bull attaccata alla lavagna. Ci ap-

poggiò sopra la punta delle dita e le chiuse accartocciandola nel palmo, strisciando un'unghia contro la superficie liscia della lavagna con una sensazione di fastidio che le fece stringere le labbra.

In quel momento entrò Sarrina.

– Grazia... puoi venire? C'è un tale, qui, che vorrebbe dirti una cosa.

Aveva la faccia da sbirro. Lunga e stretta, con gli occhi segnati da borse grigie, e un naso triste e spiovente sulle labbra. Indossava un soprabito troppo pesante per quella stagione ed era alto, quasi calvo.

– Carrone, – disse alzandosi per dare la mano a Grazia, e nel farlo chinò la testa, quasi sbattendo i tacchi. Tirò fuori un biglietto da visita, identico a quello che Carlisi aveva sulla scrivania, e glielo dette. C'era scritto «Carrone Marco, investigazioni private». E sotto «Ex maresciallo dell'Arma, lunga esperienza investigativa». Uno di quei biglietti che si fanno con le macchinette, in autostrada.

– Veramente sarei brigadiere, – disse, – ma stavo per diventare maresciallo quando mi hanno congedato.

Grazia sedette sull'angolo della scrivania del commissario, che stava chiedendo scusa a Carrone perché lo avevano dimenticato due giorni in una pensione di Bologna, finché non era stato lui a tornare in Questura e a dire «Allora, se non c'è bisogno, io me ne andrei». Carrone scuoteva la testa, gli occhi chiusi sulla faccia da sbirro, una smorfia indifferente come a dire che c'era abituato ad aspettare, a essere dimenticato. Poi si chinò di lato, a prendere un taccuino dalla borsa di pelle che aveva appoggiato alle gambe della sedia, una borsa con le cinghie, da sbirro anche quella, e lo mise sul tavolo di Carlisi. Grazia si sporse per vedere cos'era, perché immaginava che avrebbero dovuto leggerselo, invece Carrone incrociò le braccia e schiuse la bocca, preparandosi a raccontare. E guardò lei, forse perché era la persona che aveva davanti, ma comunque guardò lei, come se fosse a lei, a Grazia, che raccontava la sua storia.

Verbalizziamo, aveva detto, con quel troncone di uomo bruciato tra le braccia. Aveva scritto in fretta sul taccuino con la biro, lasciando lo spazio in cima per aggiungere dopo «di fronte a me brigadiere Carrone Marco» eccetera eccetera. Scriveva tutto quello che l'uomo gli sputava nell'orecchio, spruzzandogli la guancia di saliva e di sangue, e quando non capiva si avvicinava di piú, trattenendo il fiato per l'odore fortissimo di carne bruciata. Aveva parlato per meno di un minuto, l'uomo, ringhiando come un cane ferito quando uno dei barellieri cercava di staccarlo dal brigadiere.

Poche frasi, spezzate, tutte da cucire assieme tra il raschiare dei gorgoglii che uscivano strozzati da quella gola bruciata, ma Carrone le aveva scritte tutte, parola per parola. E dopo, prima di lasciare che i barellieri si portassero via quella carcassa straziata, aveva firmato in calce e aveva fatto controfirmare anche loro, come testimoni.

– L'uomo è morto dissanguato mentre lo portavano all'ospedale e quelli mi hanno denunciato per omissione di soccorso, – disse. – L'Arma non mi ha coperto e cosí mi hanno buttato fuori. Che dice, dottore, ho fatto male?

– Be'... – disse Carlisi, stringendosi nelle spalle. – Ma non è questo il punto. Vada avanti, maresciallo...

Non gli era andata giú che lo avessero scaricato. Non gli era andata giú che non avessero dato corso alla sua segnalazione raccolta con tanto zelo e puntigliosità. Cosí aveva continuato le indagini da solo, con meno possibilità, certo, perché a quel punto era soltanto un investigatore privato, ex maresciallo, lunga esperienza, eccetera, però un po' di amici nell'Arma li aveva ancora, tanto per rispondere a qualche domanda.

L'uomo saltato per aria nella macchina era un colonnello dell'Aviazione che lavorava per i Servizi segreti. Al motivo per cui lo avevano fatto saltare non era mai arrivato neanche vicino, ma non importava.

– Mentre stava morendo il colonnello mi ha detto che a mettere la bomba era stato un killer professionista che chiamavano il Pit bull.

Grazia si sporse in avanti, appoggiandosi al ginocchio.

– Che il Pit bull voleva ammazzarlo perché lui avrebbe potuto scoprire chi era... una cosa di armi, di precedenti omicidi fatti per i Servizi, non ho capito, erano solo parole...

Grazia annuí, facendo segno che non importava, che andasse avanti.

– Mi ha detto che il Pit bull era di qualcuno... proprio cosí, ha detto *di*, come una proprietà, e che questo qualcuno era don Masino Barletta. E che il Pit bull aveva ammazzato anche lui.

Grazia guardò il commissario, incerta. Non aveva capito e si sentiva ancora sospesa, ad aspettare qualcosa che le schiarisse le idee. Barletta era un nome che le diceva qualcosa, ma non abbastanza.

Matera voleva parlare, ma il commissario gli fece cenno di stare zitto. Era il momento del maresciallo Carrone, l'occasione di raccontare tutta la sua storia.

– Barletta Tommaso era un mafioso poco importante. Nel 1979 viene arrestato e poi sottoposto a provvedimento di domicilio coatto che lo manda via da Palermo. Poi gli revocano il provvedimento, ma non ci torna piú, in Sicilia, e in apparenza non fa piú niente, non controlla niente, non traffica niente. Ma dal 1981 è di nuovo un nome rispettato, tra le cosche, sia tra le perdenti che tra le vincenti. Girava voce che fornisse killer puliti a chi li chiedeva. Nel '95 scompare dalla circolazione e non se ne sa piú nulla.

– Ho capito, – disse Grazia. – Don Masino è stato uno dei procuratori del Pit bull, come D'Orrico. È un altro passo avanti...

– No, – disse Carlisi, – è molto di piú. Sai dove hanno mandato il nostro don Masino? Glielo dica lei, maresciallo, la storia è sua.

Carrone annuí, e per un attimo la sua faccia da sbirro sembrò meno triste.

– Domicilio coatto a Budrio, in provincia di Bologna –. Appoggiò l'indice al taccuino e lo spinse, facendolo scivolare fino a Grazia, a battere contro la sua gamba, cosí vicino che lei poté vedere anche l'alone delle macchie di sangue del colonnello, grattate via dalla copertina.

– È tutto qui, – disse Carrone. – Le parole del colonnello e le mie successive indagini su don Masino. Scritto, sottoscritto e controfirmato.

Stringere. Connettere. Escludere e stringere ancora.

Il Pit bull sta in Emilia Romagna. Don Masino stava a Budrio, in via Wagner 10. Prima connessione.

Stringere: tutti i possessori di arma da fuoco di Bologna e provincia. Denuncia di acquisto e detenzione, lista da Accorsi Michele a Zarrillo Elena. Troppi.

Stringere ancora. Un altro post-it accanto ai primi due. Intuizioni di Grazia, soltanto intuizioni, ma date per certe. Tanto per stringere.

Titolari di porto d'armi nella provincia di Bologna. Non detenzione, non la pistola a casa, in un cassetto chiuso a chiave, le munizioni lontane dalla portata dei bambini. La pistola addosso, nella fondina. Piú pistole diverse, preferibilmente 22 e calibro 40. Lista da Bonetti Marco a Tibaldi Francesco. Troppi.

Stringere, ancora un post-it da aggiungere alla lavagna. La linea comincia ad accennare la curva di un cerchio.

Intuizione di Grazia: fa un lavoro che possa giustificare spostamenti e gestione libera del tempo. Investigatori privati, titolari di finanziarie, amministratori di ditte in proprio, rappresentanti di com-

mercio con campionari preziosi. Lista da Carletti
Piero a Quadalti Mariano. Meglio.

Stringere ancora. Un altro post-it, la curva che
si abbassa.

Intuizione di Grazia. Si trucca, come un attore.
Si traveste, come un attore. Recita, come un attore. Tutti i titolari di porto d'armi, appartenenti alle categorie suddette, che abbiano frequentato corsi di recitazione, di dizione e di trucco. Nessun
elenco disponibile. Tutto da fare, teatro per teatro, associazione culturale, centro sociale, assesso-
rato... troppo lungo. Giú il post-it, piú in basso, da
usare come conferma «in caso che».

Ristabilire una connessione. L'elenco da Carletti a Quadalti da una parte. Don Masino dall'altra.

Bussano alla porta e Grazia alza la testa. È un
agente in divisa, con un pacchettino in mano. È per
lei, ispettore, l'ha portato un ragazzo.

Un ragazzo come? Vabbe', non importa... tanto se è lui può essere chiunque.

Lui chi?

Non importa, grazie.

Il pacchettino: quadrato, carta da regalo, nastro
rosso arricciato in fondo in due cascate di boccoli
stretti. E se le scoppia in mano? Se è l'orecchio di
qualcuno? Se è un proiettile con sopra il suo nome?

Grazia lo apre. Lo aveva capito mentre strappava la carta sotto il nastro, e lo aveva capito da
uno di quei boccoli, sfilato all'inizio dalla lama delle forbici tenute male, troppo inclinate. Non abbastanza perfettino per il Pit bull.

Il test di gravidanza dimenticato da Alex.

Sul tavolo, vicino al computer. Di nuovo alla
lavagna, con l'elenco in mano.

Carletti Piero, Castelli Silvio, Costa Daniele,

Davito Alessandro, Emaldi Pietro, Facchini Primo, Forte Gaetano, Franchini Giulio, Iotti Lisa, Lombardini Alessandro, Marchini Vittorio...

Marchini Vittorio.

Rappresentante di commercio. Titolare e amministratore unico di una ditta di importazione e distribuzione preziosi.

Marchini Vittorio.

Titolare di licenza di porto d'arma corta per difesa personale. Detentore di una pistola automatica Glock modello 23 calibro 40 Sw, di una Sig Sauer P229 calibro 40, e di un'automatica sportiva Beretta modello 71, calibro 22.

Marchini Vittorio.

Residente in via Wagner 12, 40054, Budrio.

La stavano guardando arrivare da una feritoia sulla fiancata del furgone. Sarrina doveva schiacciarsi contro la lamiera, per vederla, chiudere un occhio e spingere l'altro contro l'angolo dell'apertura, poi spostarsi, schiacciarsi sull'altro lato della feritoia e chiudere l'altro occhio per seguirla. Non era un servizio facile. Via Wagner era una strada chiusa, che piegava ad angolo retto in due bracci uguali, larghi, puliti, da zona residenziale, ma corti. Su un lato c'era una fila di villette a schiera, tutte uguali, due piani con mansarda, giardinetto e garage a fianco. Sull'altro, una fila di alberi, e dietro i campi. Il numero 12 era l'ultimo in fondo alla strada. Non si poteva parcheggiare vicino perché i tratti di marciapiede tra uno scivolo del garage e l'altro erano occupati da altre auto. Non si poteva parcheggiare davanti perché contro i piloni che separavano la fine della strada dal parco pubblico c'era già una Volvo familiare. L'unica era infilare il furgone in uno spiazzo a metà della strada, tutto occupato anche quello, ma Matera aveva suonato ai campanelli di qualche villa, parecchi numeri prima del 12, aveva trovato il proprietario di una delle auto e l'aveva fatta spostare. Da lí, pigiati nel furgone, Matera, Sarrina e due agenti della Mobile con le mitragliette e i giubbotti antiproiettile riuscivano appena a seguire Grazia che arrivava lungo la stradina.

Grazia era scesa dall'auto dove si trovava il dottor Carlisi, oltre l'angolo della strada. Si avvicinava camminando normalmente, una rivista colorata in mano, il bomber chiuso fino al collo per nascondere il giubbotto antiproiettile. Arrivò fino al numero 12, si chinò sulla colonnina accanto al cancello per leggere la targhetta, «Marchini R.-Zauli M.-Marchini V.», e suonò il campanello.

Sudava, stringendo la rivista. Avrebbe voluto avere in mano la pistola, da tenere lungo il fianco, nascosta dietro la coscia, ma se la signora Marchini l'avesse vista non le avrebbe piú aperto. E se l'avesse vista lui, lei sarebbe morta.

– Sí? Chi è?

Grazia agitò la rivista verso la signora ferma sulla porta, in fondo al vialetto. Spinse il cancello, ma era chiuso.

– Buon giorno. C'è Vittorio?

Non parcheggiava mai la macchina davanti. La metteva sempre dietro, sull'altra strada, poi faceva a piedi il sentierino che separava casa sua dal giardino pubblico. Non c'era nessun motivo per fare cosí, nessuna norma di sicurezza o abitudine da agente segreto. Era solo perché via Wagner era sempre piena e quando non la metteva in garage era piú comodo lasciare la macchina là. Quando sentí la voce era ancora a metà del sentierino, dietro la siepe, non ancora visibile dall'ingresso di casa sua.

– Buon giorno, c'è Vittorio?

La signora alzò una mano per schermarsi gli occhi, perché c'era un po' di sole che riverberava tra

le foglie degli alberi. Era un autunno strano, molto lungo, con l'inverno che non si decideva ad arrivare, a parte un paio di giorni di freddo che sembrava gennaio. Meglio cosí, comunque, per carità.
– No, è fuori per lavoro. Chi è?
– Sono un'amica di Vittorio. È per lavoro. Dovrei lasciargli questi...

Vittorio continuò a camminare, ma invece di
girare a destra, verso casa, girò a sinistra, nel parco. Voltò le spalle alla sua strada e continuò finché non trovò un albero dietro cui coprirsi. Lí si
chinò come per allacciarsi una scarpa e da giú, un
ginocchio sull'erba, guardò il giardino.
Una ragazza mora, non tanto alta, con un bomber verde oliva e una rivista in mano.
Pensò: non la conosco.
– Sono un'amica di Vittorio. È per lavoro. Dovrei lasciargli questi...

Grazia agitò ancora la rivista, e di nuovo fece
per entrare, spingendo sulla grata di metallo color
antiruggine. La signora fece un passo indietro, sulla porta, sollevando le gambe per non inciampare
nelle pianelle di stoffa. Infilò un braccio dietro il
muro e fece schioccare la serratura del cancello.
Aspettò Grazia sulla porta, con un sorriso curioso, la mamma di Vittorio, vestita da casa, con
un golf azzurro comprato al mercato, un cuore di
tubicini trasparenti ricamato davanti, soltanto
quello, perché di solito teneva anche un giacchet-
to ma le era venuto caldo perché stava stirando.
– Chi è questa bella ragazzina qui? – chiese,
quando Grazia le fu vicino. Contenta, perché il viso pulito di una bella ragazza giovane fa sempre pia-

cere, ma attenta, una punta di sospetto, Vittorio
ce l'ha già una fidanzata, Annalisa, una cosa seria,
attenzione.

– È sicura che suo figlio non sia in casa, vero?

Pensò: non è detto.

Poteva essere qualunque cosa. Un abbonamento
a una rivista di settore. Orologi, gioielli. Una macchina nuova. Un bollettino di rate. Il sindacato.

Guardò quella ragazza che stava accanto a sua
madre. Scarpe da ginnastica e jeans stretti alla caviglia. Il giubbotto gonfio, largo sulle spalle. Attenzione: piú grossa di quanto il suo viso facesse
pensare. Non è detto: mento rotondo, forme me-
diterranee, piccolina, atletica. Possibile. C'era qualcosa che le usciva dalla tasca sinistra. La punta di
un laccetto nero. Una macchina fotografica? Un binocolo? Un paio di guanti? Possibile. Guardò come muoveva le mani. Una giú, lungo la gamba,
quella con le riviste. L'altra su, a metà fianco, chiusa a pugno. Nervosa? No. Tranquilla? Neanche.
Aveva spostato un po' la testa, come per lanciare
un'occhiata in casa, alle spalle di sua madre.

Guardò la strada. Auto vuote, tutte conosciu-
te, dei vicini. Solo un furgone mai visto prima, nello spiazzo. Sconosciuto. Ma lui a casa ci stava cosí poco.

Pensò: non è detto.

Dipendeva da cosa avrebbe fatto ora quella ragazza. Se le avrebbe dato la rivista e l'avrebbe sa-
lutata o se fosse rimasta lí. Dipendeva da cosa
avrebbe detto.

– È sicura che suo figlio non sia in casa, vero?

La mamma di Vittorio sporse in avanti le lab-

bra, piegando di lato la testa, come avrebbe fatto
un cane. Il sorriso da cordiale ma attento si fece
sorpreso e anche un po' sospettoso.

– Sí, perché?

– Polizia, signora. Ispettore Negro. Dobbiamo
entrare.

Pensò: allora è cosí.

Si alzò lungo l'albero e si spostò ancora piú dietro il tronco, a guardare. Vide la ragazza tirare il
laccetto, mettere una mano in tasca e sfilarne fuori un walkie-talkie. La vide portarselo alla bocca,
schiacciare il pulsante di lato e la sentí dire «Azione!» quasi con un sussurro. Poi la vide allungare
un braccio e tenerlo davanti a sua madre, senza
toccarla, ma spingendola, schiacciandola in un certo senso, discretamente, contro il muro.

Pensò: allora è cosí.

Da lí, da dietro quell'albero, avrebbe potuto
estrarre la Glock che aveva nella fondina e mettersi in posizione di tiro, il polso destro appoggiato al tronco, la mano sinistra avvolta sulla destra,
a tenere ancora piú ferma la pistola. Avrebbe sparato in fretta lungo una linea orizzontale, da sinistra a destra, per colpire prima quello massiccio
che era già a metà vialetto, poi quello piú giovane
al cancello e poi gli altri due. In alto sulla testa o
in basso sulle gambe, non addosso, per via del
giubbotto. Tre passi in avanti, oltre i piloni. Due
colpi dritti nel petto all'uomo in giacca e cravatta
che stava arrivando di corsa lungo la strada. Un altro passo, girarsi sulla linea del vialetto di casa. Un
colpo alla testa della ragazza col bomber, attento
a non colpire sua madre. Dopo, quello che resta
del caricatore per finire quelli a terra.

Ma non pensò niente di tutto questo.

Pensò: allora è cosí.

Poi girò le spalle a casa sua e puntò verso l'interno del parco per prenderla larga e arrivare nell'altra via, dove aveva parcheggiato la macchina.

Non aveva capito quello che era successo e pro-probabilmente non lo avrebbe capito mai. Guardava tutta quella gente andare su e giú per casa e continuava a ripetere: – È per le armi? Vittorio ha il permesso... le può tenere, fa il rappresentante di gioielli... – e quando da sopra qualcuno aveva detto: – Dottore, venga un po' a vedere quassú, – aveva cercato di salire anche lei ed era arrivata quella ragazza a trattenerla e a dirle: – Signora, ce l'ha una fotografia di Vittorio da farmi vedere? Magari ci stiamo sbagliando...

Ma certo, era ovvio. Si stavano sbagliando. Bastava andare di là e fargli vedere le fotografie.

– Ecco, questo è Vittorio a vent'anni. È un bel giovane, no? Però guardi che è già fidanzato...

Grazia prese la fotografia che la signora aveva tirato fuori da una scatola da scarpe. Ce n'erano tante, infilate una dietro l'altra, in piedi, alcune in bianco e nero, con i bordi ondulati, come si usavano negli anni Cinquanta, altre piccole e quadrate, dai colori opachi, con la data stampata sul bordo a caratteri minuscoli, 2 ago. '62, 15 set. '78. C'erano anche delle polaroid sbiadite e un album da matrimonio.

– Non ci siamo molto, per le fotografie, – ave-

va detto la signora. – E poi Vittorio ha sempre fatto tante storie per farsi fotografare...

Grazia guardò la foto che aveva in mano. Un
rettangolo lucido, in cui le figure sembravano messe in rilievo dai colori brillanti di una pellicola ci-
bacrome. Vittorio era a mezzo busto, fotografato
senza che se ne accorgesse mentre stava parlando
con qualcuno di cui si vedeva soltanto la macchia
nera e sfocata di un braccio. Neanche Vittorio era
del tutto a fuoco, ma si vedeva. Un giovane magro,
dal naso dritto e i lineamenti regolari, quasi bello,
anche. Aveva i capelli cortissimi, gli occhi rossi per
il lampo del flash e una mano agganciata al mento,
un dito dritto appoggiato sulle labbra, come se stesse ascoltando con attenzione. Vent'anni. 1990.
Quello non era uno sguardo da killer. Grazia li conosceva i killer, ne aveva studiato le fotografie, li
aveva ripresi di nascosto, gli aveva puntato contro
la pistola, li aveva guardati negli occhi quando gli
aveva messo le manette. Quello non era uno sguardo da killer. Non ancora, almeno.

– Non ne avrebbe una più recente? – chiese.

La signora sospirò, frugando nella scatola. Fece scorrere le dita sui bordi delle fotografie, scuotendo la testa.

– Eh, insomma... Vittorio bisognava sempre
prenderlo di sorpresa perché se no tirava fuori tutte le scuse. È sempre stato un ragazzo timido, un
po' chiuso. Ma buono, sa? Buono come il pane. Ecco, questa è dell'anno scorso. È del passaporto...

Una foto tessera a colori. Piatta come le foto
dei documenti. Vittorio di fronte, in primo piano,
la testa dritta, lo sguardo serio e un po' ottuso di
chi fissa qualcosa che non c'è. Capelli cortissimi,
neri, labbra chiuse, carnose ma non grosse e gli oc-

chi... Grazia avvicinò e allontanò la fotografia, concentrandosi per distinguerne il colore... chiari, le sembrava, forse verdi. Non era importante, in quel momento, lo avrebbe visto all'anagrafe, dalle schede dei documenti, colore degli occhi, altezza, peso. Avrebbe voluto di piú. Una fotografia in cui leggere qualcosa, in cui capire un'espressione, intercettare un pensiero. E invece niente, in quella foto tessera non c'era neppure lo sguardo da killer. Era anonima e vuota come un identikit.

Disse: – Se non le dispiace le teniamo un po' noi, per vedere se ci siamo sbagliati.

La mamma di Vittorio annuí come se non l'avesse neppure ascoltata. Stava sorridendo mentre guardava una foto in bianco e nero dagli angoli arrotondati, che lei teneva con tutte e due le mani sui bordi, per non metterci sopra le dita.

– Questa è quella che mi piace di piú, – disse, e la passò a Grazia.

Era un bambino. Un bambino di dieci anni. Accovacciato su qualcosa che spariva oltre il bordo inferiore della foto, teneva i gomiti puntati sulle ginocchia e le mani una sull'altra, sotto il mento. Era in un prato che nel bianco contrastato della foto sembrava liquido e mosso come un pezzo di mare. Doveva essere il giardino di via Wagner perché dietro, fuori fuoco, si riconosceva la casa. Il bambino aveva i capelli lisci, tagliati a metà orecchio e divisi in due da una riga che non riusciva a tenere a posto un lungo ciuffo scivolato sulla fronte. Doveva esserci un po' di vento. E anche un po' di sole, perché gli occhi del bambino erano appena socchiusi, ma appena, come avesse voluto tenerli aperti per guardare lo stesso. C'era un'espressione difficile in quegli occhi. Non strana, difficile. Difficile da capire. Non era malinconica, non era vivace, era un'espressione d'attesa. Sulle labbra c'era un accenno di sorriso, ma non era un sorriso vero, era una piega che ne sollevava appena un angolo, era l'attesa di un sorriso, come se qualcuno gli stesse raccontando qualcosa di divertente e il bambino aspettasse di sentirne la fine per sapere se ridere o no. Era un bel bambino, pensò Grazia, e lo disse alla mamma di Vittorio.

– È un bel bambino.

– Sí, era un bel bambino. E un chiacchierone, sa? Come chiacchierava... lei qui lo vede serio ma è perché aveva appena avuto...

Si bloccò, scuotendo la testa come per scacciare una mosca. Le sfuggí anche un gemito, simile a una specie di grugnito.

– Che cosa? – chiese Grazia. – Cosa aveva avuto?

La mamma di Vittorio scosse ancora la testa. Mormorò «Niente», ma la voce le restò in gola. Cominciò a tossire e cercò di prendere la foto dalle mani di Grazia, che la tenne stretta, schiacciandosela contro il petto.

– Cosa aveva avuto? Una malattia? Un incidente? Cosa?

La signora tossiva, sempre piú forte, come volesse coprire la voce di Grazia. Intanto scrollava la testa e agitava una mano, facendo di no col dito. Grazia alzò la voce, fino quasi a urlare.

– Che è successo? Signora, che è successo a Vittorio quando aveva dieci anni?

Quando aveva dieci anni Vittorio aveva ucciso un altro bambino. Era stato un incidente ed era successo a scuola. Faceva la quinta elementare.

Grazia aveva ricostruito la storia interrogando le maestre e le assistenti sociali. Era andata fino a Milano per metterne assieme i pezzi, perché allora era lassú che abitavano i signori Marchini. Dalla madre di Vittorio non aveva saputo piú niente di utile. E neanche da Annalisa. Aveva già raccontato la faccia che aveva fatto quando era andata a cercarla, a Ferrara, in biblioteca. Si era coperta la bocca con la mano quando Grazia le aveva detto che era della Polizia ed era lí per Vittorio.

– Oddio! Gli è successo qualcosa?

Quando le aveva raccontato il motivo per cui era andata a cercarla si era appoggiata alla scrivania del suo ufficio di bibliotecaria.

– Aspetti, aspetti, aspetti, ispettore... come si chiama?

– Negro.

– Aspetti, aspetti, ispettore Negro... vuole dirmi che il ragazzo con cui sto da due anni è un killer di professione che ha ammazzato... quanti ne ha detti?

Seduti nella sala riunioni della Mobile il dottor Carlisi e Di Cara avevano riso e stavano sorridendo ancora, mentre l'ascoltavano. Sorrideva anche Matera. Sarrina non c'era, stava parcheggiando la macchina con cui era andato a prendere Di Cara all'aeroporto.

Abitavano ancora a Milano. Tutte le mattine la madre lo portava a scuola e tornava a riprenderlo, anche se avrebbe potuto andarci da solo, perché abitavano vicinissimo e Vittorio era un bambino sveglio e intelligente. E le volte che capitava, quando la madre non stava bene e il padre era già uscito per il lavoro, ci andava, da solo, si metteva il giubbotto sopra il grembiule, si agganciava lo zaino su una spalla e usciva. Faceva un giro piú lungo, ma arrivava in orario lo stesso, perché l'ultimo pezzo lo faceva di corsa. Stava vicino a via Paolo Sarpi e gli piaceva deviare lí dentro per vedere il quartiere cinese. Per vedere i cinesi, soprattutto. Gli piaceva osservare quei volti diversi e cercare di capire che cosa pensassero, cosa volesse dire quando allargavano gli occhi, o piegavano la bocca, o muovevano la testa. Si fermava davanti ai negozi e li osservava attraverso le vetrine, finché non se ne accorgevano. Allora cominciava a correre e andava a scuola. Le maestre erano abbastanza soddisfatte. Abbastanza. Perché Vittorio andava bene, studiava, capiva, si applicava, ma era un bambino strano. No, non strano, difficile. Non parlava molto e non giocava con gli altri bambini. Non rideva quasi mai e se lo faceva piú che ridere sorrideva. Non se la prendeva quando lo sgridavano, subiva in silenzio, guardando per terra, poi, senza una ragione, scattava. Non urlava e non piangeva, scattava, fisicamente, buttava a terra le cose o le tirava contro il muro. Una volta aveva rovesciato anche un banco. Non succedeva spesso, quasi mai, ma le volte che era accaduto erano bastate a far chiedere alle maestre l'appoggio di uno psicologo. Vittorio era un bambino caratteriale.

Era arrivato anche Sarrina, che aveva fatto rumore aprendo la porta e costretto Matera ad alzarsi per farlo passare. Grazia si era fermata e aveva ripensato alla sua lavagna magnetica, alla foto del bambino in mezzo al mare d'erba che si era staccata da un angolo e penzolava giú, sospesa soltanto dalla metà adesiva di un post-it. Aveva cercato di riattaccarla, spingendo forte col pollice un triangolino di carta che non ci stava, e si era accorta per la prima volta delle pedine di ferro calamitato, tonde e massicce come pezzettini di una dama in miniatura. Ne aveva messe quattro ai lati della foto, finalmente dritta, la foto di un bambino di dieci anni che guarda e forse sorride, le mani sotto il mento.

I suoi avevano scelto il tempo pieno e Vittorio rimaneva a scuola fino alle cinque di sera. Non sembrava che gli dispiacesse, anzi, leggeva, disegnava, stava in cortile, giocava a pallone, però da solo. Faceva rimbalzare la palla contro il muro, per tutto il tempo, un colpo dopo l'altro, bum bum bum, quasi senza muoversi. A casa faceva le stesse cose, leggeva, disegnava, giocava a pallone in cortile, in piú guardava la televisione. Lo psicologo aveva consigliato ai suoi di non farlo stare cosí da solo e allora sua madre lo aveva iscritto a un corso di nuoto. Lo portava lí dopo la scuola e tornava a casa, perché a riaccompagnarlo ci pensava la mamma di un altro bambino che abitava da quelle parti. Non sapeva che Vittorio faceva solo la prima parte del corso, nuotando su e giú nella piscina dei piccoli, con gli altri, poi, quando veniva il momento di fare le squadre per giocare a pallanuoto con una pallina di gomma, inventava una scusa, diceva che stava male, usciva dall'acqua e rimaneva a guardare. Sua madre non avrebbe potuto stare lí a badarlo. Le crisi del padre di Vittorio erano già cominciate.

– Stiamo facendo della dietrologia, Negro? – disse il dottor Carlisi. – Non è che me lo sta scusando il nostro Pit bull?

Grazia arrossí violentemente. Si sentí bruciare fino alla radice dei capelli. Reagí con piú forza di quello che voleva, ringhiando cattiva.

– Sono soltanto dati, dottore. A me il Pit bull non interessa capirlo, io voglio prenderlo.

Ricominciò a raccontare: a scuola, in mensa, un bambino di un'altra classe ce l'aveva con lui. Quando erano a tavola, prima che arrivasse da mangiare, tutti i bambini guardavano i piatti, che avevano una serie di animaletti stampati sui bordi. Tutti, soprattutto i piccoli, che continuavano a gridare anche dopo che era arrivata la pasta, alzavano il piatto e urlavano «Chi ha il cavallino gioca con me! Chi ha l'elefante gioca con me!» Tutti tranne Vittorio, che nascondeva il piatto sotto il tovagliolo. Il bambino lo prendeva sempre in giro. Era un bambino grosso, piú alto della media, e dopo un po' aveva cominciato a tirarlo per lo zaino, a spingerlo contro il muro, a mollargli schiaffi sul coppino tutte le volte che lo incontrava, in cortile o in corridoio. Vittorio non aveva mai detto niente, mai reagito. Poi un giorno si era avvicinato lui per primo e lo aveva spinto contro una vetrata. La vetrata si era rotta e il bambino si era tagliato la gola con una scheggia.

Il dottor Carlisi non disse niente. Non disse niente nessuno. Solo Di Cara mormorò: – Un incidente? – e con la punta delle dita allineò i bordi di una informativa che aveva davanti, intestata Direzione investigativa antimafia - Palermo. Sembrava nervoso.

Era stato un incidente. Ci furono un sacco di problemi, denunce, provvedimenti legali, ma Vittorio aveva dieci anni, era un bambino ed era stato un incidente. La famiglia Marchini pagò un sacco di soldi a quella del ragazzino morto e la cosa non finí neppure sui giornali. Vittorio era tranquillo, sembrava aver rimosso tutto, come non fosse mai accaduto nulla. Lo psichiatra del tribunale consigliò di portarlo via, di cambiare aria. La madre di Vittorio era originaria di Budrio, in provincia di Bologna. Andarono a stabilirsi là, in una villetta tranquilla al numero 12 di via Wagner. E là incontrarono don Masino.

Di Cara alzò la mano, come a scuola. Batté la punta del dito sui fogli che aveva davanti.

– Ora tocca a me, – disse. – A Palermo e a Firenze ci sono stati un paio di omicidi molto strani. A Palermo nel 1981 viene ammazzato un piccolo boss che si chiama Peppino Cannata. A Peppino piace un posto che chiamano il castello dell'Emiro. È uno dei quartieri piú poveri di Palermo, ma lui è nato lí e ci va tutte le volte che può, a meditare, diciamo cosí. Peppino non è facile da ammazzare, perché sta sempre armato e diffida di tutti. Ora, don Masino ha un conto aperto con Peppino, ma a Palermo nessuno vuole fargli il favore, anche se Peppe sta sul culo a tutti. Prenderlo di sorpresa, con una cosa pulita, non è possibile e nessuno vuole rischiare la guerra facendo una strage.

Di Cara alzò un dito, come se per paura di perdere l'attenzione mentre riprendeva fiato.

– Ora... – disse, – c'è un altro omicidio simile a Firenze. È... – sollevò l'angolo di un foglio per leggere sotto, seguendo la riga con un dito, – il 1982. Un libanese, una cosa da servizi segreti. Il libanese sta in un albergo circondato da guardie del corpo e non si fa avvicinare da nessuno che possa sembrare una minaccia. Si potrebbe farlo fuori tirandogli un razzo contro la finestra o mitragliandolo nella hall, ma è una pubblicità che non vuole nessuno. Sia Cannata che il libanese vengono ammazzati. Con un lavoro pulito, quattro colpi di 6.35 in testa e via. Bene, sapete che c'è? In tutti e due i casi è stata segnalata la presenza di un bambino.

Non riusciva piú a dormire sul fianco. Per tanti anni lo aveva fatto sempre nello stesso modo, quasi steso sulla pancia, un braccio sotto il cuscino, e l'altro piegato sopra, ma adesso non ci riusciva piú. Gli si intorpidiva la spalla e si ghiacciava la mano, come non circolasse piú il sangue, e sentiva la voglia, il bisogno, di girarsi in continuazione, da una parte e dall'altra. Cosí si voltò sulla schiena, allacciò le mani dietro la nuca e guardò il soffitto del camper. Si chiese come avvenissero certe associazioni mentali. Stava pensando a suo padre e gli era venuto in mente don Masino.

Stava vedendo suo padre nella casa di cura, seduto sulla poltrona carta da zucchero, pensava che non sarebbe andato a trovarlo mai piú, e all'improvviso al suo posto c'era don Masino, tutto diverso, piccolo e nervoso, in un altro luogo, che faceva tutt'altro. Prima suo padre poi don Masino, come nei sogni.

Pensò: la prima volta che l'ho visto.

La prima volta era pochi giorni dopo il loro arrivo a Budrio. Don Masino sapeva cos'era successo, perché sapeva sempre tutto di tutti. Vedeva quest'uomo che a lui sembrava vecchissimo, ma che doveva avere poco piú di cinquant'anni, fermo sulla porta a parlare con suo padre. Piú che altro si ricordava la luce che veniva da fuori, ma poteva anche essere un ricordo indotto, magari da un'immagine vista in un film. Un biancore abbagliante che sfoca i contorni, ombre lunghe fino dentro il soggiorno, e questo omino vecchio, col coccodrillino sulla maglietta gialla, che fa un passo avanti, entra in casa e gli sorride. Tu devi essere Vittorio. Poi si china per stringerli la mano, lo guarda negli occhi, lo guarda tanto, come cercasse qualcosa, e quando sorride lui capisce che quell'uomo sa benissimo che non è stato un incidente.

Non ce la faceva a stare sulla schiena. Sentiva le dita che gli bruciavano, schiacciate sotto la nuca, e aveva di nuovo voglia di girarsi. Cercò di resistere, spostò le mani sulla pancia, il palmo di una attorno al pollice dell'altra, perché le braccia non gli scivolassero giú sui fianchi. Sapeva già che non sarebbe rimasto molto in quella posizione. Fuori, da qualche parte nel parcheggio, il barrito di un camion.

Non era quella l'associazione tra suo padre e don Masino: loro due sulla porta. Non era per quel dettaglio che li aveva pensati insieme. Ma anche a concentrarsi, il vero motivo non gli sarebbe venuto in mente, non in quel momento, almeno. Suo padre era scomparso e c'era soltanto l'altro, l'omino vecchio con la Lacoste gialla.

Pensò: in campagna.

In campagna doveva essere vestito in modo diverso, ma lui lo vedeva sempre cosí, con quella maglietta gialla, e anche in questo i ricordi erano come i sogni, assurdi e surreali. Camminava col vecchio lungo l'argine del canale e quello che gli piaceva di don Masino era che parlava sempre lui. No, non don Masino, non si faceva chiamare cosí da lui. Si faceva chiamare zio Tommaso. Zio Tommaso. Zio

Tommaso. Se lo dovette ripetere piú volte nella testa, Zio Tommaso, muovendo la lingua nella bocca chiusa. Non gli suonava, richiedeva concentra-
zione e inceppava il flusso del ricordo, cosí lasciò
perdere. Don Masino. Don Masino parlava, non
chiedeva niente e a lui questo piaceva perché poteva stare in silenzio e ascoltare. Camminavano
lungo il bordo dei campi, lui in equilibrio sulle zol-
le rivoltate, passavano tra le vigne, lui sotto le
braccia dei filari, arrivavano fino al ponte sul tor-
rente, don Masino parlava e lui ascoltava, guardava e ascoltava. Non si ricordava le parole, se avesse dovuto rifare il discorso preciso, come in un
film, con le battute e le intonazioni, non ci sarebbe riuscito. Ma non si era dimenticato quello che
gli aveva detto, l'aveva dentro come una sensazione, un pensiero che non si poteva vedere né pro-
nunciare. Gli parlava di quello che aveva fatto a
scuola, del bambino che aveva ucciso.

Sentí un rumore sotto il finestrino. Una voce di
passaggio, piú vicina delle altre che avevano fatto
da sottofondo fino a quel momento. Si sollevò su
un gomito, infilando una mano sotto il letto e prese la Beretta, puntandola contro la porta del camper. Sollevò il cane con il pollice, inquadrando il
dorso del silenziatore tra le tacche di mira, in linea
con la maniglia. La voce si era già allontanata ed
era tornata indistinta e innocua come le altre, in
quel parcheggio di autogrill, ma lui la tenne cosí lo
stesso. Voleva vedere quando avrebbe cominciato
a tremargli la mano.

Pensò: la mano.

La sua mano era troppo piccola per una pistola
vera. Aveva solo dieci anni e sei mesi ed era un
bambino, con le dita corte, il palmo stretto e il pol-

so morbido di un bambino. Don Masino gliene aveva trovata una apposta, una Mauser Baby calibro 6.35, modificata con una protesi sull'impugnatura in modo che potesse infilarci la mano, come in un guanto. Si ricordava il dolore al polso che diminuiva a ogni allenamento e quanto si sentisse fiero di riuscire ad arrivare alla fine del caricatore senza fermarsi per abbassare il braccio. Il metodo di don Masino si basava su questo. Sviluppare la volontà. Stimolare il piacere per un lavoro ben fatto. Eliminare il senso di colpa. Lo aveva capito molto tempo dopo. Allora aveva poco più di dieci anni.

La mano cominciò a tremare, poco, appena sulla punta del silenziatore. Inclinò il polso ruotandolo verso sinistra e riuscí a fermare il tremito.

Pensò: il castello dell'Emiro.

Riusciva a vederlo, proiettato dietro gli occhi come un film, con le voci, i rumori e i movimenti, ma anche cambi di inquadratura e primi piani che aveva aggiunto dopo, ricordando. Il castello dell'Emiro, gli aveva spiegato don Masino sull'aereo, non era un vero castello. Non voleva che pensasse a quello che doveva fare come a una favola o qualcosa di infantile. Era un lavoro, soltanto un lavoro da fare bene, come se la mamma gli avesse detto di mettere a posto camera sua o di aiutarla a stendere i lenzuoli. Non era un gioco, era un lavoro da fare, e che poteva fare soltanto lui. Il castello dell'Emiro era una vecchia rocca araba di cui erano rimaste soltanto le mura. Sopra, attorno e dentro erano cresciute casette abusive di pietra e cemento, piccole escrescenze di tutte le forme che sembravano pinnacoli di terra bagnata strizzati nel pugno su un castello di sabbia. Lí c'era Cannata, seduto su un sasso, che fumava. Lui si era avvicinato, una mano nel-

la tasca del giubbottino, l'altra attaccata alla bre-
tella dello zainetto con i quaderni di scuola, si era
fermato davanti all'uomo e gli aveva sparato in faccia quattro colpi calibro 6.35. Poi era scappato di
corsa attraverso le strade che aveva imparato, dove lo aspettava don Masino con la macchina.

Non riusciva piú a tenere la punta del silenziatore sulla maniglia della porta. Abbassò il cane con
il pollice e rimise la 22 sotto il letto. Era stato un
esercizio stupido, se non ce la faceva con una mano avrebbe potuto tenerla con due. Si girò sul fianco, appoggiando il corpo dall'anca alla spalla e tirò
su le gambe, infilando le mani tra le cosce, come
faceva una volta, da bambino, quando arrivava l'inverno e cominciava a fare freddo, o quando aveva
la febbre.

Pensò: contenti che stessi cosí tranquillo con
don Masino.

Pensò: (la voce di don Masino) come un pit bull
addestrato per uccidere.

Pensò: (vide) suo padre alla finestra, dietro la
tenda, bianco come un fantasma, che guarda lui
ventenne infilare la gamba di don Masino dentro
il baule dell'auto.

Pensò: (si vide) dall'alto, con lo sguardo di suo
padre, con il terrore di suo padre, alzare la testa e
guardare in su.

Ecco qual era l'aggancio, l'associazione menta-
le tra suo padre e don Masino. Ma ormai il ricordo era svanito. Cosí infilò il braccio sotto il cuscino e allungò le gambe, sperando di riuscire ad addormentarsi prima che gli venisse voglia di girarsi
dall'altra parte.

Non sapeva neanche come si usava quel cazzo di test. Nelle istruzioni c'era scritto di orinare dentro un contenitore e immergerci il tampone tenendolo per il manichetto di plastica, ma non era chiarissimo come interpretare il risultato e non voleva farsi prendere dal panico per niente. Cosí versò nel wc il bicchierino da caffè che aveva riempito facendosela sulle dita e lo buttò nel contenitore per gli assorbenti, poi rimise il tampone nella scatola, la infilò nella tasca del bomber e tornò in ufficio.

Mentre camminava per il corridoio pensò che di solito c'era sempre un'amica del cuore o una mamma che sapevano tutto su certe cose. Lei di amiche del cuore non ne aveva e sua mamma stava giú in Puglia, a Nardò, ma se l'avesse chiamata per chiederle qualcosa si sarebbe precipitata a Bologna con tutti i parenti prima ancora che lei avesse messo giú il telefono. Sulla porta dell'ufficio incontrò Sarrina e dovette fare un giro di mani dietro il sedere per non fargli vedere il test, se no sai che casino.

Dentro, sulla lavagna magnetica, c'era rimasta solo la fotografia del bambino in mezzo al mare d'erba. Tutti i post-it erano finiti nel cestino. Adesso non era piú il momento di farsi domande come chi è, dove nasconde i soldi, in che modo si procura le armi. Adesso era il momento di prenderlo. Cercarlo, trovarlo e prenderlo.

Sulla brandina, sparsi fino al cuscino, c'erano i verbali di intercettazione telefonica all'utenza di via Wagner, a quella di Annalisa a Ferrara, a quelle di tutti i parenti da Budrio a Milano e di tutti i numeri compresi nei tabulati del cellulare intestato alla Marchini Gioielli (pochissimi).

Prenderlo se si fa vivo con qualcuno.

Per terra, sotto il tavolo contro il muro, rotoli di fax su carta termica puzzolente intestati a tutte le Questure con le registrazioni di (quasi) tutti gli alberghi, gli hotel, gli ostelli e le pensioni d'Italia.

Prenderlo se si ferma a dormire.

Sul tavolo, copie di fonogrammi di ricerca alle Questure e i commissariati di Ps, ai comandi e alle stazioni dei Cc, alle caserme della Gdf, alla Polstrada, alla Polfer, alla Polaria e alla Capitaneria di porto.

Prenderlo se cerca di andarsene.

Prenderlo se usa i suoi documenti, se paga con bancomat o carta di credito, se cerca di ritirare soldi dalle banche di San Marino, se attiva il telepass, se va in giro con la sua macchina. Prenderlo se usa il cellulare, con quella scheda (no: troppo stupido) o anche con un'altra perché (sí: probabilmente) non sa che anche il cellulare, non solo la scheda, ha un codice interno di identificazione e se lo accende, anche solo per un secondo, si aggancia a un ponte radio e viene localizzato.

Sulla sedia del tavolo col computer c'erano i primi risultati delle perizie balistiche sulle armi sequestrate a Budrio e a San Marino. Due riscontri positivi. Piú i sedici dichiarati da D'Orrico. Totale: diciotto omicidi.

Nel computer, la perizia psichiatrica del professor Morri mandata via e-mail al dottor Carlisi e per conoscenza anche a lei. Oggetto: Marchini Vittorio, detto Pit bull.

[...] Bisogna considerare che dall'età di dieci anni il Marchini non ha fatto altro che programmare e subordinare ogni aspetto della sua vita all'attività di uccidere. Tecnicamente potremmo definirlo un serial killer. [...] Quanto al fatto che dal '99 abbia iniziato a firmare acuni delitti collegandoli e rivelando la propria esistenza, questo può essere interpretato come un'accelerazione del processo psicotico. Da una parte il narcisismo del soggetto ricerca una forma di espressione che lo faccia uscire dal silenzio in cui è stato immerso per tutti questi anni; dall'altra si tratta di una precisa richiesta d'aiuto: il Marchini si sente sul limitare dell'inferno e vuole essere fermato prima di precipitarvi dentro.

Nota del commissario, in fondo: «Cazzate».

Sulla lavagna magnetica, il bambino nel mare era appannato da un riflesso di sole che batteva sulla finestra, aperta per cambiare l'aria. Sembrava non ci fosse più, come se la fotografia fosse stata tolta dal bagno d'acido troppo presto e l'immagine fosse svanita. Grazia si avvicinò all'anta e la mosse finché non riuscí a cancellare il riflesso e a far tornare il bambino in mezzo al mare d'erba bianca.

Prenderlo appena fa qualunque cosa.

Sarrina tornò ad affacciarsi alla porta.

Grazia uscí dalla Questura e si tirò su la zip del bomber fino al collo perché cominciava a fare freddo. Sarrina le chiese se voleva un passaggio ma lei alzò una mano, scuotendo la testa, grazie, faccio due passi fino a casa. Dài, che tra un po' piove, almeno ti porto alla fermata dell'autobus. Disse: okay, anche se lo sapeva che era un errore. Ma voleva stare sola.

– Guarda che l'ho visto lo scatolotto del test. Che casino...

– Non dire cazzate... devo ancora farlo, e poi mi sa che non è niente.

– Di quant'è il ritardo?

– Piú di una settimana.

– Minchia...

– E dai, Sarri'! Cazzo parli che non ci capisci niente neanche tu di queste cose!

– Se lo sei lo tieni?

– Non lo so.

– Ma lo sei?

– Non lo so! Non lo so! Non lo so!

Alla fermata dell'autobus scese sbattendo la portiera. Si tirò il giubbotto sul sedere per assicurarsi che coprisse la fondina con la pistola, infilò le mani nelle tasche e si avviò verso la piazzola. Aveva ragione Sarrina. C'era un'aria umida che sapeva di ferro e di bruciato. Prima o poi avrebbe cominciato davvero a piovere.

Si mise in fondo all'autobus, davanti alla porta, di traverso sul sedile, con le gambe che penzolavano sulla rientranza dei gradini d'entrata. Si attaccò alla sbarra e appoggiò il mento sul pugno stretto sul metallo tiepido. Chiuse gli occhi, stanchissima, e per un momento si addormentò, si annullò per una frazione di secondo in un biancore frizzante, sconnessa, scollegata, spenta. Si svegliò al primo scossone, sudata e con la bocca secca come se avesse dormito ore, ma piú stanca di prima, contenta soltanto di non aver sognato perché sapeva che se lo avesse fatto avrebbe sognato lui, il bambino della fotografia. Il Pit bull. Un bambino di dieci anni ad-

destrato da un mafioso come un cane da combattimento. Ecco, tornava a casa per staccare un momento da tutta quella storia, e già ci era ripiomba-
ta dentro.

Per cambiare argomento mise una mano in tasca e toccò la scatolina del test di gravidanza. Associazione con i bambini, pensò. Appena arrivo a
casa lo faccio. Di nascosto da Simone. Di nascosto. Perché di nascosto? Perché è un fatto mio.

Alzò gli occhi sul finestrino e vide sul vetro strisce di pioggia, oblique e intermittenti, sempre piú
fitte. Prima di arrivare alla fermata erano diventa-
te una patina liquida e spessa come uno strato di
vernice e quando scese dall'autobus si pentí di non
aver accettato fino in fondo il passaggio di Sarrina.

Il cortile di casa era piccolo e quadrato e Grazia
lo fece di corsa, saltando nelle pozzanghere che si
allargavano tra i buchi nella ghiaia, ma quando arrivò al portone d'ingresso era fradicia lo stesso. Salí
sul gradino, schiacciandosi contro il legno bagnato
della porta per ripararsi sotto una striscia sottilissima di muro, mentre cercava le chiavi nella tasca
dei jeans. La pioggia che si infilava dritta dentro il
colletto del bomber la faceva impazzire.

Nell'androne del palazzo si aprí il giubbotto,
sospirando, e si tirò indietro i capelli bagnati, pas-
sandosi una mano sulla faccia coperta di gocce.
Aprí la porta del suo appartamento e gridò: – Simo', sono a casa! – Poi voltò la testa su una spalla, perché dietro aveva sentito un fruscio.

Lo vide con la coda dell'occhio e capí subito che
era lui, anche se aveva un aspetto qualunque.

Ebbe soltanto il tempo di fare un passo dentro
casa, mezza voltata e dire: – No! No! – prima che
il Pit bull le appoggiasse il silenziatore della 22 sulla tempia e premesse il grilletto.

– Dottore? Sono Matera, scusi se la disturbo a casa ma è grave. Ci ha chiamato il ragazzo di Negro. È successa una brutta cosa...

Dove sono?

In nessun luogo.

Non poteva risponderle, avrebbe dovuto dire a Imola ma non era vero perché erano quasi a Castel San Pietro e se lei glielo avesse chiesto di nuovo poco dopo avrebbe dovuto dire Bologna. Non erano da nessuna parte. Erano in autostrada.

La ragazza si muoveva sulla brandina, alle sue spalle. La guardò meglio nello specchietto retrovisore che aveva orientato apposta per inquadrare la branda nella finestrella sulla parete che separava l'abitacolo di guida dal resto del camper. Voleva tenerla d'occhio ma non avrebbe potuto farlo guidando. Non avrebbe potuto voltarsi indietro. In autostrada è tutto davanti.

La ragazza cercò di alzarsi ma riuscí solo a girarsi su un fianco, le braccia bloccate dietro la schiena da un paio di manette e le caviglie legate da una corda che arrivava fino ai polsi. Incaprettata, era il termine tecnico, o quasi, perché la corda avrebbe dovuto girarle anche attorno al collo. La vide inquadrata nello specchietto come in un piccolo monitor, che cercava di tenere su la testa, gemendo con un mormorio sforzato che non gli sembrava ancora del tutto cosciente. Poi si abbandonò sulla brandina, il collo piegato su una spalla, la testa giú, fuori dal cuscino, e gli occhi chiusi.

Mmmmmm...

Stia ferma. Adesso arrivo in una piazzola e vedo come sta.

Si fermò sotto un cavalcavia e corse dietro. Voleva fare in fretta perché non gli piaceva stare lí, dove poteva passare una volante e fermarsi per vedere se era successo qualcosa. In autostrada la vita è il movimento. Se ti fermi è perché hai bisogno di aiuto.

Entrò nel camper e si chiuse la porta alle spalle. Pioveva fortissimo e in quei tre metri di corsa era già tutto bagnato, perché le gocce cadevano con tanta violenza da rimbalzare anche sotto il cavalcavia.

Vediamo.

Girò la ragazza sulla pancia e le infilò una mano tra i capelli, scostandoli dalla tempia. Lei gemette con un filo di voce, un sospiro lamentoso, come se non volesse svegliarsi dal sonno. Non aveva niente, a parte un bozzo bluastro, un taglio e un po' di sangue ancora vischioso che le incrostava una ciocca sulla tempia. Le aveva sparato con un proiettile di plastica caricato con una dose ridotta di polvere, perché voleva stordirla, non ucciderla.

La voltò sul fianco e le tirò fuori le braccia da sotto l'anca, poi le sollevò la testa e le mise sotto il cuscino. Quando abbassò lo sguardo si accorse che aveva gli occhi aperti, anche se ancora velati, e lo fissava da sotto i capelli che le erano scesi sul volto.

Sei il Pit bull?

Sí.

Perché mi hai preso? Cosa vuoi farmi?

Niente. Per adesso.

Uscí dal camper e tornò al posto di guida, bagnato fradicio. La pioggia si schiacciava sull'asfalto come un muro grigio e aveva già cominciato a scorrere sulla strada, stendendosi in un velo lucido, alto almeno un dito. Vittorio dovette aprire il finestrino e sporgersi sotto l'acqua per guardare dietro, spostandosi piano e quasi alla cieca per uscire dalla piazzola e tornare a muoversi sull'autostrada.

Quando il Pit bull aprí la porta del camper per la seconda volta, Grazia era sveglia e cosciente, anche se le faceva male dappertutto, come se avesse l'influenza. La luce e l'aria fresca che entrarono all'improvviso la fecero sobbalzare e anche gemere, perché aveva tirato nelle manette, per lo scatto, e si era fatta male ai polsi.

Il Pit bull aveva il suo vero volto, quello delle foto sui documenti, col naso dritto, i lineamenti regolari e i capelli corti. L'espressione seria e tranquilla non lasciava capire cosa stesse pensando, anche se piú che misterioso sembrava piatto, come nelle foto. Forse era cosí abituato a portare lineamenti diversi, a indossarli e a interpretarli, che cosí nudo non era piú niente, anonimo come una base per il trucco. Solo gli occhi dicevano qualcosa. Gli occhi erano quelli del bambino nella foto, verdi, calmi, né malinconici né vivaci, ma attenti, come in attesa. Neanche in quel momento erano gli occhi di un killer.

Grazia ebbe paura lo stesso. Sola e disarmata, legata su una brandina, davanti al Pit bull.

– Cosa vuoi? – gli chiese. – Perché mi hai portato qui? Perché io? Cosa mi vuoi fare?

Il Pit bull aveva una Glock con il silenziatore infilata nella cintura. Grazia trattenne il fiato quando lui la prese, e di nuovo tirò nelle manette con una fitta che dai polsi le bruciò fino al gomito. Il Pit bull tenne la pistola senza impugnarla, stretta appena nel palmo della mano, girandola in alto, come per fargliela soltanto vedere. Un'automatica tozza, compatta e quadrata.

– Prima le ho sparato con una 22 a carica ridotta. Questa è un calibro 40, a carica piena, e a punta cava. Con questa le salta via tutta la testa. Mi sono spiegato? – Guardò Grazia, che non diceva niente, gli occhi spalancati, la bocca socchiusa, il seno immobile a trattenere il fiato. Ripeté: – Mi sono spiegato?

Grazia annuí. Lo guardò avvicinarsi e si lasciò rivoltare sull'altro fianco mentre tirava fuori dalla tasca uno stiletto.

– Ho preso lei perché era piú facile, – disse mentre le tagliava la corda alle caviglie e la liberava delle manette. – Vi ho osservato quando siete entrati in casa mia. E anche fuori dalla Questura. Lei era l'unica donna della squadra.

– E che ci vuoi fare con me?

Non si aspettava una risposta, e infatti non venne. Si fece aiutare a scendere dalla brandina, come un malato di lunga degenza, prima seduta sul bordo e poi quasi in piedi, curva per non sbattere la testa contro il soffitto del camper.

– Aspetta aspetta aspetta!

Miliardi di formiche le salirono sulle gambe fino al sedere, mangiandole i polpacci e le cosce con morsi brucianti come punture di spillo. Le si piegarono le ginocchia e sarebbe ricaduta sulla brandina se lui non l'avesse trattenuta, aiutandola a fare il primo passo.

Sulla porta del camper Grazia ebbe paura. Ora

mi ammazza, pensò, ora mi porta in un campo, mi
mette in ginocchio per terra e mi ammazza. Si vide anche, come aveva visto tante foto e morti ve-
ri, umida, sporca di fango, la bocca aperta.

– Attenta, – disse lui, mettendole una mano sulla testa per non farla sbattere contro il telaio del
camper. Lei ebbe un sussulto e cercò di resistere,
incerta.

– È inutile, lo sai che è inutile, vero? – disse in
fretta, troppo in fretta per sembrare minacciosa.
– Non ti serve a niente. È solo una cosa di tempo... prima o poi ti beccano...

Lui scese dal camper, poi la tirò per le braccia e
la fece saltare giú, tenendola per le mani come con
i bambini, vola vola vola, e come quando era bambina Grazia si infilò subito in una pozzanghera.
C'era una villetta, lí fuori, una casa di legno grande
poco piú di una capanna, con la porta aperta. Dietro c'era una stradina erbosa che saliva su un terrapieno e spariva in una macchia di alberi. Oltre il bo-
sco si vedeva un viadotto dell'autostrada, lontano,
ma abbastanza vicino in linea d'aria perché si sentisse il ringhiare dei camion che lo attraversavano.

Sembrava di essere in montagna.

– Lí dentro, – disse il Pit bull con un cenno del
mento. – E stia tranquilla. Non la uccido.

Dentro era quasi tiepido. Non faceva caldo, per
via dell'umido, un umido fresco, cattivo, da luogo
chiuso, ma nemmeno freddo perché c'era una stufetta elettrica attaccata a una presa. La resistenza
incandescente non bastava a fare caldo, ma almeno aveva rotto l'aria. C'era anche un camino, con
una fascina di legna già pronta su un mare di carta appallottolata, ma era spento. Grazia si strinse
nelle spalle, facendo scorrere le mani sulle braccia.

Il bomber era rimasto nel camper e lei era in jeans e maglietta.

– Dove siamo?

– Appennino toscoemiliano. Tra Bologna e Firenze, prima di scendere.

– Ti troveranno. Non è un buon posto per nascondersi.

– Non importa. Mi bastano un paio di giorni per fare una cosa.

– Ti troveranno prima. Io lo so cosa succede. I carabinieri di qui conoscono il posto, gli arriva la segnalazione e vengono a vedere.

Il Pit bull la guardò e a Grazia sembrò che negli occhi gli passasse un sorriso. Era un sorriso, un accenno di espressione ironica e un po' compiaciuta, come quell'inclinazione all'angolo del labbro che aveva nella fotografia da bambino.

– No. I tuoi ti stanno già cercando. Da un'altra parte.

Grazia corrugò la fronte, socchiudendo gli occhi. Fissò il Pit bull, che adesso sorrideva un po' di piú, quasi apertamente. Un sorriso soddisfatto. Da un'altra parte? Perché?

– Perché ho lasciato il tuo cellulare in un autogrill, uno qualunque, dentro un bidone. E l'ho messo in vibracall, perché nessuno lo senta suonare.

A Grazia venne da piangere. I suoi avrebbero localizzato il telefonino attraverso il ponte radio, avrebbero individuato la cellula a cui si connetteva e sarebbero corsi là, a battere la zona. L'avrebbero battuta bene, metro per metro, e a lungo, sicuramente piú di un paio di giorni. Non poteva contare sull'aiuto dei suoi. Non poteva contare sull'aiuto di nessuno. Erano soltanto loro due: lei e lui. Lei e il Pit bull.

Aveva sempre voglia di piangere, ma all'improvviso sentí anche una rabbia sorda e feroce, che
le fece stringere i pugni e le labbra. Le venne voglia di gettarsi su quell'uomo che aveva ricominciato a guardarla senza espressione, serio e attento, saltargli addosso e tirargli un pugno, prenderlo a calci, strozzarlo. Lui sembrò capirlo, perché
fece un passo indietro e tirò fuori la pistola col silenziatore.

– Non lo faccia, – le disse. – Lei è piú veloce di
me e forse anche piú forte. Farà anche arti marziali, credo... io no, io non ho mai fatto a botte
con nessuno, neanche da piccolo. Io sparo.

Alzò il braccio e puntò la pistola su Grazia, che
ritirò la testa tra le spalle, come una tartaruga, gi-
randosi di fianco e coprendosi la faccia col dorso
delle mani. Quando le abbassò e le lasciò cadere
lungo i fianchi, il Pit bull aveva già rimesso a posto la pistola.

– Non ho mai fatto arti marziali, – disse Grazia. – Faccio a botte qualche volta, ma di solito le
prendo. Posso avere il mio bomber? Ho freddo,
cosí in maglietta.

Sembrava abbastanza tranquilla, come se avesse finalmente capito che non aveva nessuna intenzione di ucciderla. Non in quel momento, almeno. Si teneva addosso il bomber come una coperta, perché si era tolta i jeans e i calzettoni e li aveva stesi davanti alla stufetta, ad asciugare. Non faceva piú cosí freddo, ma stava ugualmente rannicchiata sotto il giubbotto, tutta chiusa, probabilmente perché si vergognava a farsi guardare le gambe nude da lui. Gliele aveva guardate, infatti. La trovava carina, molto.

Mangiavano tramezzini da un sacchetto che aveva preso nel Pavesi all'imboccatura della Bologna-Firenze. Bevevano Coca-Cola in lattina, seduti sul tappeto davanti al camino. A un certo punto lei si era stretta sotto il bomber, rabbrividendo in modo esagerato.

Brrr... che bella legna, perché non accendiamo il fuoco?

Non le aveva neppure risposto. Sapeva anche lei che non era cosí stupido da attirare l'attenzione con un pennacchio di fumo dal camino di una villetta chiusa.

Dove sono i proprietari? Li hai ammazzati?

No. Vengono solo nei fine settimana. Io non uccido se non è necessario.

Quante persone hai ucciso?

Non aveva bisogno di fare un calcolo per dirglielo. Li ricordava tutti, uno per uno. Rivisti dietro gli occhi come in un film per individuare e correggere gli errori commessi. Contabilizzati in trasferimenti fantasma su conti cifrati e prelevati in contanti. Previsti nei minimi particolari prima ancora che avvenissero.

Diciotto? Venti? Venticinque?

Cinquantanove.

Minchia...

Aveva tolto i caricatori alla 22 e alla Beretta di Grazia e se li era messi in tasca. Aveva tolto il silenziatore alla Glock e l'aveva appoggiata sul tappeto, vicino alla gamba. Colpo in canna, solo da togliere la sicura con la punta del pollice, premere il grilletto e sparare.

La vide allungarsi sul pavimento per raggiungere il sacchetto e prendere un altro tramezzino. Pollo e rucola no. Tonno e uova sode no. Peperoni e prosciutto sí. Tornò sotto il bomber spingendosi indietro con il gomito. Le era rimasta fuori la curva di un ginocchio, sopra, e le punte dei piedi, sotto, con le dita che sfregavano assieme.

Ci stanno killer di mafia che ne hanno uccisi di piú. Brusca, Aglieri, Spatuzza... Quando stavo a Palermo ne ho preso uno che ne aveva ammazzati quasi duecento.

Lo stava provocando? Voleva vedere le sue reazioni? Non ne aveva. Lui era un'altra cosa. Lo disse.

Io sono un'altra cosa.

Lo so... tu sei un professionista. Tu sei il Pit bull.

Voleva provocarlo? Lo guardava con un sorriso insistente, briciole di tramezzino sulle labbra,

un braccio infilato sotto il bomber, a tirarsi il dito di un piede. Cosa voleva fare? Fargli perdere la
pazienza? Fregarlo?

Tu studi tutti i particolari, ti travesti, ti fabbri-
chi le armi... chi ti ha insegnato? Don Masino?

No. Lui mi ha insegnato a uccidere. Ho fatto
corsi. Stage di recitazione, dizione e trucco. Apprendista armaiolo. Apprendista meccanico. Quasi perito informatico, quasi perito chimico, quasi
infermiere diplomato. Studiavo quello che mi serviva e appena ne sapevo abbastanza smettevo e me
ne andavo.

Una bella pazienza...

È il mio lavoro.

Un sacco di tempo...

Ce l'ho. L'ho sempre avuto. Faccio solo questo
da quando avevo dieci anni.

Aveva alzato gli occhi e si era accorto che lei lo
stava fissando. Gli guardava il volto, come se cercasse qualcosa, e aveva un'espressione che non riusciva a capire, un po' triste e un po' dura. Non sorrideva piú. Lui si alzò, perché fuori era diventato
buio e la luce dell'abat-jour sulla mensola del camino non riusciva piú a illuminare abbastanza.
Controllò che le imposte fossero chiuse, poi accese una lampada a stelo e la spostò vicino a Grazia,
che piegò la testa di lato, facendosi schermo con
una mano.

Mi scusi, ma devo riuscire a vederla.

Senti, fammi un favore. Piantala con questo lei.
Mi fa incazzare. Vuoi mantenere le distanze perché ti sia piú facile ammazzarmi?

No. Perché?

E allora dammi del tu. Sono qua, sono mezza
nuda, sono un tuo ostaggio e prima o poi mi spa-
rerai in testa. Puoi anche darmi del tu, cazzo...

Lui annuí. C'era una poltrona a dondolo in un angolo del camino e andò a sedersi su quella, sparendo quasi nella penombra. La stanza non era grande, ma forse da laggiú lei non riusciva già piú a vederlo. Immaginò una voce che veniva dall'oscurità, frasi che uscivano dal silenzio, sospese nel buio. Lei invece la vedeva bene, la spallina del reggiseno che usciva dalla bocca lenta della maglietta, i capelli tirati su e tenuti fermi da uno stecco di legno preso dal camino, anche la piega che le contraeva il mento rotondo e le stringeva le labbra. Era di nuovo spaventata.

Posso fartela io una domanda?

Non voleva distrarla, non soltanto. C'era davvero una cosa che voleva sapere. Gli era venuta in mente quando lei aveva parlato del suo addestramento.

Come avete fatto ad arrivare a don Masino?

È stato un uomo che hai ucciso. Era senza gambe e senza braccia, praticamente morto, ma è riuscito a parlare lo stesso.

Ah.

L'hai ucciso tu don Masino?

Sí.

E perché?

Metteva in pericolo la mia sicurezza. Ho ucciso tutti quelli che potevano collegare Vittorio Marchini al Pit bull. Ma se anche i morti parlano allora non so piú cosa fare.

Era soltanto una battuta, ma lei doveva averla presa sul serio. La vide sporgersi sul pavimento e cercare il suo volto frugando nella penombra con gli occhi.

Costituisciti. Collabora. Fai il pentito.

Ma per favore.

Hai un sacco di cose da raccontare al magistrato, gli omicidi, tutti i nomi dei mandanti... e dài, Vitto'! Guarda Brusca, guarda gli altri... se la cavano tutti, puoi farlo anche tu...

Ma per favore.

Era la prima volta che lo chiamava per nome, anche se solo a metà. Aveva fatto per avvicinarsi ma lui aveva toccato la pistola e lei doveva aver indovinato il movimento, perché si era fermata. Però si era alzata in ginocchio e il bomber le era scivolato via.

Ormai lo sanno tutti che esiste il Pit bull, tra un po' esce tutto sui giornali e si sanno le cose che hai fatto. Sei uscito dal silenzio, Vitto', hai avuto quello che volevi, che bisogno hai di ammazzare pure me?

Cosa stava dicendo? Non capiva... cosa c'entrava il silenzio? Si era anche mossa, aveva spostato un ginocchio in avanti, nonostante la pistola che si era alzata nel buio, e aveva appoggiato una mano sul tappeto, per non perdere l'equilibrio. Non voleva che si muovesse ancora. Non voleva spararle adesso. Disse qualcosa, tanto per fermarla.

Non lo so.

Lei si fermò. Tornò indietro, scendendo sui talloni. Lo guardò attenta, incerta, e anche se continuava ad abbassare lo sguardo sulla pistola a lui sembrò che avesse meno paura. Meglio cosí. Si alzò dalla poltrona.

Basta adesso. Voglio dormire.

Tirò fuori le manette dalla tasca e si avvicinò a lei, che esitò, prima di girargli la schiena e porgergli le braccia. La guardò da vicino mentre la prendeva per un polso e nonostante si vedesse che aveva paura della pistola che le sfiorava il fianco, gli sembrò piú tranquilla. Meglio cosí.

Ma cosa c'entrava il silenzio?

Dormivano per terra, davanti al camino spento, sui materassi presi dalla camera da letto, che non si poteva usare perché era riscaldata soltanto da una vecchia stufa di ceramica, impossibile da accendere per via del fumo. Se avesse avuto le braccia libere, Grazia si sarebbe presa le ginocchia, rannicchiandosi come un feto, perché aveva freddo. Non per la temperatura, per gli spifferi. Fuori aveva ricominciato a piovere e una corrente gelida e bagnata soffiava rasoterra. Anche il pavimento sembrava assorbire calore. Aveva già cominciato a tirare su con il naso.

– Cosa c'è? – chiese lui, alle sue spalle. Dall'inclinazione della voce doveva essersi sollevato su un gomito, o a sedere. – Non riesci a dormire?

– Ho freddo.

– Posso abbracciarti...

Lui si mosse e lei trattenne il fiato, stringendo i denti. Cercò di non irrigidirsi quando se lo sentí addosso, sotto la coperta, schiacciato contro la schiena, un braccio che le girava attorno a una spalla e le scendeva giú, davanti al collo. Non voleva contrariarlo, non adesso che le sembrava di avere fatto un passo avanti quando gli aveva parlato di consegnarsi e lui aveva detto non lo so. Voleva tenerlo buono il piú possibile. Sentí l'alito sul collo, caldo, il petto di lui contro le spalle, le gambe ad angolo sotto le sue, e pensò che se quello non fosse stato il Pit bull, non fosse stato l'assassino di cinquantanove persone e lei non avesse avuto le braccia incrociate dietro la schiena dalle manette sarebbe stato anche piacevole addormentarsi cosí, stanca e abbracciata stretta in una notte di pioggia.

– No, – disse lui, staccandosi. – Non va. Ho freddo anch'io.

– Andiamo nella camera da letto. Portiamoci la stufetta.

– No. Non c'è la presa.

– Portiamo qui le reti. Almeno ci alzano dal pavimento.

– Non credo che passino. Dovremmo smontarle...

Grazia voltò la testa su una spalla e lo vide seduto, che si guardava attorno, e le venne in mente che era assurdo, un poliziotto e un assassino che cercano di sistemarsi per dormire, come in campeggio o a una gita della scuola. Dormiamo tutti in una camera, dài.

– Vieni.

Si alzò in piedi e la prese per un braccio, aiutandola a sollevarsi. Grazia si diresse verso la camera da letto ma lui la fermò tirandola verso la porta della villetta. Lei puntò i piedi, istintivamente.

– Andiamo nel camper, – disse lui. – C'è una branda sola ma non ci sono spifferi.

Le mise la coperta sulla testa e la portò fuori, facendola saltellare a piedi nudi sulla ghiaia bagnata. Ci mise un attimo ad aprire, soltanto un attimo ad abbassare la maniglia e farla entrare, ma pioveva di vento e quando chiuse la porta del camper erano tutti e due fradici.

– Merda, – disse Grazia, – che cazzo di tempo di merda...

– Girati, – le disse lui, con la pistola in mano. Grazia si irrigidí ancora, ma lo fece. Fu sorpresa quando sentí che le sganciava le manette.

– Togliti la maglietta.

– Perché? – Le era sfuggito, avrebbe voluto trattenerlo ma le era sfuggito.

– Perché è bagnata, – disse lui, cominciando a spogliarsi. Grazia prese i bordi della maglietta e se la tolse tirandola da sopra la testa, forte, perché era inzuppata e le aderiva alla pelle come se fosse stata di carta. Rimase in mutandine e reggiseno e si strinse tra le braccia, rabbrividendo.

– Per favore, – disse, – fammi stare con le braccia davanti. Non mi ammanettare di dietro, ti giuro che non faccio niente, non scappo, dove vuoi che vada?

Lui la guardò come per studiarla, poi annuí. Le fece cenno di porgergli le braccia, davanti, e le chiuse le manette attorno ai polsi. Lei mormorò «Grazie» e si stese sulla brandina, il piú lontano possibile, schiacciata contro la parete del camper, gli occhi già chiusi per evitare di guardarlo. Lui appoggiò la pistola sul pavimento e si stese accanto a lei.

– Alza le braccia, – le disse. Lei non lo fece, ma solo perché non aveva capito. Lo guardò sorpresa, poi piegò i gomiti appoggiando i polsi su una spalla e poi sull'altra, perché non sapeva cosa fare. Lui la prese per la catenella delle manette, le sollevò le braccia e ci si infilò dentro, facendosi scendere i polsi di lei fino alla vita. Cosí era bloccata. I polsi stretti e le braccia di lui che bloccavano le sue. Non avrebbe potuto fare niente. Non avrebbe potuto allontanarsi senza che lui si svegliasse. Sporgersi per prendere la pistola. Colpirlo. Strangolarlo con le manette.

– Bene, – disse lui. – Dormiamo.

Grazia chiuse gli occhi. Fuori la pioggia batteva sulla lamiera del camper, picchiava sul vetro di plexiglas del finestrino, serrata ma non fastidiosa. Dentro era abbastanza caldo e in due, cosí vicini, lo sarebbe stato di piú, non c'era neanche bisogno della coperta.

Sapeva che non sarebbe riuscita a dormire. Si sentiva a disagio. Lo sarebbe stata con chiunque, a parte Simone, e lo era stata sempre un po' anche con gli altri ragazzi che aveva avuto prima di lui. Ma lí era diverso. Abbracciata stretta, nuda, le gambe contro le sue, i volti vicinissimi. Sentiva il calore della pelle di lui che si inumidiva per il sudore. Il suo respiro sulla fronte. Pensò: Mado', che storia. Prima, per dare la caccia ai latitanti, li studiavo come si fa con gli innamorati. Mo' ci vado pure a letto.

Neanche lui riusciva a dormire. Grazia lo sentí da come cercava di non muoversi, di respirare regolarmente. Aveva infilato il braccio sinistro sotto il cuscino, e lei ci si appoggiava sopra con la spalla, e doveva dargli fastidio, ma lui non si muoveva. L'altro lo teneva giú, piegato sul gomito di Grazia, la mano penzolante, a sfiorarle la pancia. Ogni volta che Grazia respirava la sua pelle gli sfiorava le dita, ma anche lei non si muoveva, restava immobile, rigida, nonostate il solletico e la voglia di allungare una gamba per stendere il muscolo della coscia. Attraverso il cuscino il battito del cuore le risuonava insistente nell'orecchio, colpo dopo colpo, amplificato. Piano piano, cercò di tirare indietro la testa. Poi aprí gli occhi e si accorse che lui la guardava.

No, pensò quando lo vide muoversi. No, quando la spinse su una spalla, voltandola sulla schiena. No. No, per favore.

Lui la guardava fissa negli occhi. Senza espressione, il volto vuoto come quello dei documenti, solo quello sguardo verde e attento, in attesa. Le montò sopra e lei non poteva fare niente perché aveva le mani sulla sua schiena come se lo stesse abbracciando e non poteva spostarle e mettergliele sul petto per respingerlo, e non lo avrebbe fatto comunque, perché aveva paura. Aveva paura che la uccidesse, che si arrabbiasse e che le mettesse la pistola in bocca facendogliela scoppiare lí, sulla brandina. Aveva paura di rovinare tutto, di perdere quel piccolo vantaggio, quella fessura che sentiva di aver scavato dentro di lui e che era l'unica cosa che poteva salvarle la vita.

Chiuse gli occhi quando lui le tirò giú le mutandine, sfilandogliele lungo la gamba e strinse i denti e anche i pugni quando spinse per entrare. Se avesse avuto le mani libere avrebbe allargato le braccia e afferrato il lenzuolo, e invece era costretta ad abbracciarlo e stringerlo come se lo volesse, senza poter fare altro, si disse, senza, perché aveva paura, paura di morire e anche paura di quel vuoto alla pancia che la risucchiava dentro e la faceva respirare forte, sempre piú forte, che la teneva sospesa e la faceva ondeggiare come se galleggiasse, come se il corpo non ci fosse piú ma solo un formicolio caldo, e poi all'improvviso la faceva precipitare giú con un sussulto senza fiato, come suc-

cedeva a lei, che era come saltare su un letto mor-
bidissimo da una scala molto alta.

Sentí che anche lui si afflosciava e le scivolava
di fianco, ansimando piano. Allora aprí gli occhi e
vide che li aveva chiusi e non la guardava piú e si
chiese a cosa stesse pensando, perché si vedeva che
pensava a qualcosa. Poi si sentí appiccicosa, stor-
dita e sporca e si tirò indietro, perché ormai poteva muoversi, piú indietro che poté con i suoi polsi ammanettati.

Voleva restare viva, si disse, voleva andarsene,
scappare, tornare a casa da Simone. Voleva arre-
starlo, portarlo in Questura. Voleva sparargli, ucciderlo, strozzarlo con le sue mani. Voleva chiudere gli occhi e dormire.

Era stato come con le foto dei morti, si disse,
quando li guardava lí.

Era stato involontario, come guardare il sesso
dei morti.

Di chi è la Rustichella?

Vittorio alzò il braccio, attento che il borsello non gli cadesse da sotto l'ascella. Fece vedere lo scontrino al ragazzo che lo strappò anche dall'altro lato e glielo restituí.

Lo vuole subito il caffè? O aspettiamo?

Aspettiamo.

Prese altri fazzolettini di carta perché la Rustichella scottava da matti e si appoggiò al tavolino rotondo che si alzava come un fungo davanti al bancone. Staccò un morso filante di mozzarella bollente, che dovette tagliare con le dita e guardò il camper, parcheggiato proprio lí davanti. Si ricordò del borsello che aveva ancora sotto braccio e lo appoggiò sul tavolino, spostando resti di piatti di Spizzico e fazzolettini rossi di pomodoro.

Si guardò attorno e cercò l'uomo che aveva visto quando aspettava nel piazzale, al volante del camper. Prima aveva tenuto d'occhio le auto che arrivavano. Niente famiglie, niente coppie, niente donne. Cercava un uomo, un uomo solo. Ma non un uomo qualunque. Un ragazzo in maglietta nera, alto, «Natural born killer» tatuato sul bicipite destro (no). Un ometto basso (no). Un ragazzo sui venticinque, occhiali dalla montatura leggera, foruncoli sulla fronte (forse). Ha lasciato in macchina un cane (no). Un uomo sui quaranta, baffi, capelli lunghi, maglietta bianca «Oktober fest», calzoni della mimetica e scarponi (sí). Ha un giaccone sul braccio, arancione, bordato di bianco e di giallo, con la scritta «Anas» piegata a metà sulla schiena (no). Un uomo sui trenta, con un maglione giallo, camicia azzurra aperta sul collo, fruit bianca sotto, jeans e stivali (sí). Entra nell'autogrill e ordina una rustichella, una Coca in lattina, un caffè e un gratta e vinci (sí!). Vittorio tornò al camper, mise in moto e parcheggiò dietro la Punto dell'uomo.

Staccò un altro morso di pasta, che già si stava raffreddando. Caldissima al primo angolo abbrustolito e vuoto, fredda a metà, gelata all'ultimo angolo gommoso di mozzarella e pomodoro. L'uomo mangiava molto piú lentamente di lui. Era solo all'inizio della Rustichella e non aveva ancora versato la sua Coca, cosí Vittorio prese una moneta dal borsello e graffiò il suo gratta e vinci. Ne aveva vinto un altro, ma lo piegò lo stesso e lo infilò tra i piatti vuoti.

Faccio il caffè?

Vittorio annuí, lasciando cadere nel cestino l'ultimo pezzo di Rustichella avvolto nel fazzolettino. Mentre finiva la Coca-Cola entrarono due agenti della Stradale. Si appoggiarono al banco proprio davanti a lui, guardando bene la gente prima di ordinare la colazione. Guardarono anche quel tipo con la Coca, in tuta e zoccoli, le orecchie a sventola, un accenno di barba rossiccia sul mento, poi gli girarono la schiena.

Permesso.

Vittorio si infilò in mezzo per prendere il caffè. Lo portò fino al tavolino e ci soffiò sopra, prima di assaggiarne un sorso. Guardò l'uomo col maglione

giallo e si accorse che aveva già finito, stava raccogliendo lo zucchero dal fondo della tazzina, col cuc-
chiaio, e il gratta e vinci non c'era piú. Allora si mise il borsello sotto il braccio e lo seguí. Si fermò anche sulla soglia, aprendo la porta per lasciar passare
gli agenti, un sorriso cortese, solidale, evviva i tu-
tori dell'ordine. Poi si affrettò a raggiungere l'uomo, che si stava già guardando attorno, la portiera
aperta e un piede dentro la macchina, 'sto camper,
ma chi cazzo.

Arrivo, arrivo, scusi.

Invece si avvicinò all'auto, tirando fuori la 22
dal beauty, e mentre l'uomo si girava per entrare
in macchina, gli appoggiò la bocca del silenziatore alla testa e sparò un colpo.

Grazia irrigidí le spalle e le spinse in fuori, contraendo i muscoli del collo e tirando indietro la testa piú che poteva. Si preparava a tossire cercando di rimanere piú ferma possibile, perché a ogni movimento la corda che le serrava la gola si stringeva, e la strangolava un po' di piú. Questa volta l'incaprettamento era stato completo, con un laccio che le girava attorno al collo e scendeva lungo la schiena a legare i polsi, e ancora piú in giú, fino alle caviglie. Grazia si era afferrata i piedi, le mani strette sulla stoffa dei tubolari, piegata all'indietro come una gondola. I muscoli delle cosce le bruciavano, ma sarebbe riuscita a resistere abbastanza bene se non fosse stato per i colpi di tosse che l'avevano scossa appena la corda aveva cominciato a stringerla. E adesso ne stava arrivando un altro.

Grazia contrasse i muscoli della pancia e spalancò la bocca, irrigidendo la gola, ma il conato le gonfiò il petto e la fece sussultare per il contraccolpo. Spinse in fuori la lingua mentre la corda si stringeva un po' di piú, troncandole il respiro, e quando cercò di aspirare aria, troppo in fretta, oddio, oddio, si mosse ancora e un piede le sfuggí da sotto le dita, tirando giú la corda con un colpo secco. Il terrore le fece spalancare gli occhi, mentre perdeva il controllo dei muscoli e della schiena, e cercava di afferrare il piede, grattando l'aria con le dita della mano libera, spingendo fuori dalla bocca spalancata un ruggito strozzato che le aveva fatto graffiare la lingua sui denti.

Fu cosí che la trovò Vittorio, cianotica e con le vene gonfie sulle tempie, le lacrime che le scendevano dagli angoli degli occhi e un filo di saliva insanguinata che dalla bocca finiva sul cuscino. Saltò sul camper e le prese le caviglie con una mano, mentre con l'altra cercava lo stiletto per tagliare la corda. Le liberò anche i polsi, poi cercò di sollevarla, ma lei lo respinse, rannicchiandosi sulla brandina, le ginocchia premute contro il petto e la bocca spalancata sul cuscino, a vomitare niente.

– Mi dispiace, – disse lui. – Credevo che saresti stata ferma.

– Vaffanculo! – ringhiò Grazia. Si mise una mano sulla bocca, perché la lingua sbucciata le sbatteva contro i denti e le faceva male. – Non te ne frega un cazzo! – disse tra le dita, arrotondando le parole come se avesse in bocca una caramella. – Tanto mi ammazzi lo stesso!

Vittorio si strinse nelle spalle. Rimise in tasca lo stiletto e la prese per un braccio, costringendola ad alzarsi, a scendere dal camper e saltare sulla ghiaia bagnata, perché era scalza. La spinse dentro la villetta e sfilò la Glock dalla fondina alla cintura, aspettando la reazione di Grazia.

– Chi è quello? Cosa gli hai fatto?

Seduto sulla poltrona a dondolo davanti al camino c'era un uomo con un maglione giallo. Era legato ai braccioli e alle slitte della sedia ed era imbavagliato. Aveva gli occhi chiusi e sangue incrostato sulla fronte, all'attaccatura dei capelli corti.

Le punte delle dita erano nere, come se fossero state bruciate. Sul tavolino vicino alla poltrona c'era la pistola di Grazia. Vittorio la prese. Sganciò il caricatore per controllare che fosse carico.

– Cosa vuoi fare? – chiese Grazia.

– Voglio morire.

– Cosa vuoi fare? – ripeté lei, perché non aveva capito. Lui fece scorrere l'otturatore, facendo salire il colpo in canna. Girò attorno a Grazia e le piantò la bocca della Glock nel fianco, forte, per farle male. Approfittò della sua sorpresa per metterle la Beretta in mano, stringendo le dita sulle sue, attorno all'impugnatura della pistola. Le si schiacciò addosso, petto contro schiena, serrandola col braccio sinistro e piantandole la Glock contro il mento. Poi la spinse, costringendola ad avvicinarsi quasi di corsa all'uomo legato alla poltrona, tenendola su quando scivolò sui calzini bagnati. La canna della Beretta puntava dritta sulla faccia dell'uomo.

– Perché? – urlò Grazia. – Perché io? Perché?

Ma lo sapeva bene perché. Perché se gli avesse sparato lei ci avrebbero creduto. Le avrebbero fatto lo stub alla mano, avrebbero visto che a ucciderlo era stata lei e quell'uomo sfigurato sarebbe diventato il Pit bull. Naturalmente, dopo aver sparato, sarebbe morta anche lei.

Cominciò a capire. Nessun narcisismo e nessuna richiesta d'aiuto: Vittorio aveva iniziato a firmare i suoi delitti per prepararsi a scomparire quando fosse stato necessario. Per uccidersi, il Pit bull avrebbe prima dovuto esistere. Perché lo facesse non lo sapeva. Se fosse perché non aveva altra scelta o perché era ancora un bambino di dieci anni addestrato a uccidere non lo sapeva e non

le importava. Tra poco avrebbe sparato a un uomo e poi sarebbe morta.

– No! – disse Grazia, cercando di resistere. –
Aspetta! Aspetta aspetta aspetta! – Piantò i piedi sul pavimento, spingendo all'indietro con la
schiena, ma scivolò di nuovo sulla stoffa umida dei
tubolari e perse la presa, piantandosi col mento
sulla bocca della pistola di Vittorio, la testa rigida, schiacciata contro il petto di lui. Si accorse che
il suo dito sul grilletto della Beretta non era piú solo, che nel ponticello c'era anche quello di Vittorio, stretto nell'occhiello di metallo, a spingere giú
il suo. Guardò l'uomo col fondo degli occhi, oltre
il bordo delle palpebre, perché non riusciva ad abbassare la testa.

– No! – urlò. – No! No!

Poi non ce la fece piú e piegò il dito.

Dalla Beretta partí una raffica che esplose nel
petto dell'uomo, scavandogli una fila di buchi che
piegava verso sinistra e saliva fino alla spalla. Vittorio corresse il tiro, riportandolo giú e piantan-
dogli altri tre colpi nel volto. L'uomo si tese sulla
poltrona, gonfiandosi come una vela e tirando nei
braccioli fino a schiantarne uno, poi smise di con-
torcersi e si afflosciò. Forse aveva urlato, ma nessuno era riuscito a sentirlo, perso in un fragore fi-
schiante che sembrava non dovesse finire piú.

Vittorio allargò le dita e la mano di Grazia scivolò giú, lasciando nella sua la pistola. Anche Grazia scivolò giú, in ginocchio per terra, la bocca spalancata a cercare il fiato per urlare, aspirando aria
come per un attacco d'asma.

Vittorio si avvicinò all'uomo per controllare che
la sua faccia non ci fosse piú. Aveva le due pistole in mano, la Glock nella sinistra, tenuta per il ca-

stello, come una pietra, e la Beretta nella destra, pronta a sparare ancora. Lanciò un'occhiata a Grazia, che adesso aveva anche le mani sul pavimento e continuava a tirare il fiato con un rantolo sempre piú profondo, e si chinò sulla sdraio, a guardare.

In quel momento Grazia trovò il fiato. L'urlo che aveva dentro le uscí con tanta forza che le si riaprí la ferita sulla lingua. Uscí fuori gonfio e bruciante come un ruggito e se la trascinò dietro, mentre grattava il pavimento con le unghie e schiacciava i piedi sul tappeto finché anche i tubolari bagnati fecero presa per terra e Grazia scattò in avanti, veloce e compatta come un proiettile, verso il Pit bull.

Pensava: un colpo nello stomaco.

Con un colpo nello stomaco Grazia sarebbe morta lo stesso ma avrebbe avuto teoricamente il tempo di sparare all'uomo, di sparare a lui, rendendo piú plausibile la cosa.

Pensava: un colpo nello stomaco, chino sull'uomo che non aveva piú faccia e quindi non c'era bisogno di sparargli ancora, quando sentí l'urlo di Grazia e percepí il suo movimento, sapendo che non avrebbe fatto in tempo a spostarsi, come per un colpo di pistola che quando si sente è già troppo tardi. Ebbe solo il tempo di girarsi e alzare le braccia e lei lo prese in pieno petto con una spallata, ed era vero che era piú forte e piú veloce, perché lo buttò all'indietro, staccandolo quasi da terra. Volò contro il muro e batté la nuca contro il legno della parete con un colpo che gli rimbombò freddo fino sui denti, stordendolo per un istante, un istante solo. Non cadde neppure per terra e quando si riprese allungò il braccio destro e sparò con la Beretta perché la Glock, che teneva come una pietra nella sinistra, non c'era piú. Un colpo, d'istinto, senza mirare, perché non ce n'era bisogno con Grazia cosí vicina. E l'avrebbe presa, se non fosse scivolata di nuovo.

Grazia sentí il proiettile bruciarle tra i capelli e andare a schiacciarsi contro il muro, dall'altra parte della stanza. Batté con le mani per terra e quando sentí sotto le dita la plastica rugosa della pistola di Vittorio le chiuse, afferrandola. Piegò il braccio e sparò senza neanche guardare, col rischio di colpirsi da sola, ancora china in avanti come un centometrista, e non colpí neanche Vittorio ma lo costrinse a scansarsi di lato, coprendosi il volto con la mano per le schegge di legno che schizzavano graffiandogli una guancia. Questo le dette il tempo di muoversi, di scattare ancora, e correre verso la porta della villetta, che era rimasta aperta, mentre Vittorio le sparava un altro colpo, ancora accecato dalle schegge, e la mancava.

Volò fuori, frenò la sua corsa battendo con la mano libera contro la facciata del camper e ci girò attorno, schiacciandosi contro la lamiera per coprirsi alla vista della porta. Solo allora, e solo perché dovette stringere gli occhi per ripararli dalle gocce, si accorse che aveva ricominciato a piovere forte.

I tubolari erano completamente inzuppati e le pesavano sulle caviglie. Alzò le ginocchia e se li strappò via, prima uno poi l'altro, lanciandoli lontano. L'acqua gelida sui piedi nudi le fece venire in mente che il Pit bull avrebbe potuto spararle alle gambe da sotto il camper e allora saltò fino alla ruota, a coprirsi con quella. Lí, ferma con la schiena contro la parete di metallo, le gambe strette e la pistola puntata verso l'alto, a due mani, schiacciata contro la guancia come un cuscino in una notte di tuoni, pensò che non sapeva neppure quanti colpi le erano rimasti e che aveva davanti un killer professionista che aveva ucciso cinquantanove persone. Pensò che dietro quell'angolo di lamiera grigio metallizzato c'era il Pit bull che voleva ammazzarla, che era sola e che non poteva aiutarla nessuno, e si mise a piangere. Strinse le palpebre mentre una smorfia contratta le piegava in giú gli angoli delle labbra, strappandole un lamento lungo e disperato, e avrebbe nascosto il volto nelle mani se il terrore di farsi trovare cosí, indifesa e cieca, non l'avesse forzata a riaprire gli occhi e soffocare il pianto in una serie di singhiozzi umidi e tronchi, come quelli dei bambini. Tirò su col naso, aspirando lacrime e pioggia, e fece sporgere la testa appena un momento, ritirandola cosí in fretta da batterla contro lo spigolo del camper.

Ma lo aveva visto.

Avanzava piano, dietro un muro frusciante di pioggia, curvo in avanti, con le gambe flesse e i gomiti piegati, puntati sulla pancia, a bilanciare la pistola. Tra poco sarebbe arrivato lí e lei non aveva altra scelta che scappare e farsi sparare nella schiena, uscire e prendersi un colpo in faccia o aspettarlo senza fare niente. In ogni caso sarebbe morta lo stesso. Cosí strinse la pistola, ringhiò «Vaffanculo» e si lanciò in avanti oltre l'angolo del camper.

Pensò: non posso spararle con questa.

Non poteva spararle con la sua Beretta. Non poteva lasciare anche dentro di lei gli stessi 9x21 che avevano ucciso il Pit bull. In quel modo tutto il suo piano saltava per aria. Aveva in mano la pistola sbagliata.

Le avrebbe sparato lo stesso, perché era armata anche lei, ma quando Grazia saltò fuori da dietro il camper lui stava pensando: non posso spararle con questa, ed era la prima volta che pensava durante un'azione. Cosí schiacciò il grilletto una frazione di secondo in ritardo, solo una frazione, e solo dalla spinta che lo portava indietro si accorse che lei gli aveva sparato per prima.

Batté di nuovo le spalle contro la parete della villetta e all'improvviso, assieme a un'oppressione nel petto che ancora non era dolore e neppure fastidio, solo una sensazione sospesa all'altezza del cuore, sentí un gran silenzio, un silenzio vero, completo. Non l'aveva mai sentito un silenzio cosí. Era come riempirsi le orecchie di ovatta ma senza sentire il ronzio dentro la testa, il fischio opaco sui timpani. Era un silenzio che avvolgeva tutto, fasciava tutto e non si fermava, scendeva giú e riempiva, gonfiandosi, bianco e compatto. Era il silenzio senza il rumore del silenzio.

Una parte di sé pensò: il colpo dell'uomo morto.

Una parte di sé continuò a pensare: con un colpo al cuore sopravvivi dieci secondi ma sei già morto.

(Uno) L'effetto anestetizzante dell'adrenalina passò all'improvviso lasciando il posto a un bruciore lacerante che gli fece chiudere le braccia sul petto e stringere gli occhi, mentre tirava indietro le labbra. Una parte di sé pensò: no. (Due) L'emorragia abbassò la pressione di colpo, facendolo crollare sulle ginocchia nell'erba bagnata. Strinse le mani sul petto e una parte di sé riuscí ancora a sentire lo schizzo caldo che gli inzuppava la camicia passando tra le dita. Pensò: mamma. (Tre) Il peso dei glutei lo abbassò sui talloni e il contraccolpo spostò il baricentro, facendogli crollare indietro la testa. Cercò di urlare ma dalla bocca spalancata gli uscí solo un gorgoglio pieno di pioggia, come un gargarismo. Una parte di sé pensò: no, no ora mi alzo. (Quattro) Una contrazione nel cuore. La sensazione ottusa di un vuoto, immobile, opaco, sordo e totale. (Cinque) Solo dolore, niente pensieri, niente movimenti, solo dolore, dolore forte, dolore acuto, dolore pungente, dolore e basta. (Sei) Ancora un calo di pressione che sgonfia la schiena e porta in avanti la testa. Le braccia che crollano giú e battono il dorso delle mani sull'erba. (Sette) Meno energia per sentire il dolore. La pioggia gelata sulla nuca che risveglia la coscienza. Una parte di sé pensò: come posso io che ci sono io che penso io che sento come posso io. (Otto) Il peso della testa trascina in avanti. Le labbra si arricciano contorte sui denti in una smorfia che strappa la faccia. Pensava. (Nove) Piú giú con la testa, sfiorando l'erba bagnata. Pensava: peccato (Dieci) Toccando con la fronte, svanendo in un biancore frizzante come un tuffo in un mare di erba, pensava: finisce. Pensava: davvero. Pensava: qui.

– Sai, Negro... sei l'unico poliziotto che conosco che in un conflitto a fuoco rischia di morire di polmonite.

– Prendila per il culo, Sarri', falla incazzare... tra un po' te la ritrovi sopra come dirigente e poi sono cazzi tuoi. Che ti fanno, Grazia? Ti promuovono?

– Non lo so...

– Ti promuovono sí. Conflitto a fuoco con pericoloso criminale... mi sa che eri anche esente da servizio. Minchia, sei stata pure ferita...

– Matera, ho un cerotto sulla testa...

– Che vuoi che la facciano dirigente, non è laureata. È ispettore capo, al massimo la fanno superiore...

– Prendi la laurea e fatti fare commissario.

– Non sono brava a studiare.

– E allora fatti dare un buon incarico. Torna a Palermo, vai all'Antimafia... no, allo Scico. Fatti mettere in un posto dove si fa cariera.

– Non ci va via da Bologna, non può. È incinta.

– Davvero? Grazia, davvero?

– Non lo so...

– Hai fatto il test?

– Per me l'ha fatto. Te lo dico io che è incinta.

Non l'aveva fatto il test, non c'era stato tempo. Ma era ancora lí nella tasca del bomber. Quando era riuscita a smettere di urlare sotto la pioggia era caduta in ginocchio e ci aveva messo un po' prima di ricominciare a pensare. Allora era salita sul camper ed era andata a chiedere aiuto perché il Cb attaccato al cruscotto, in quella valle di montagna non funzionava. Prima però, aveva dovuto girare Vittorio e frugargli nelle tasche per trovare le chiavi. Una pattuglia dei carabinieri di Roncobilaccio aveva fermato una ragazza fradicia e scalza che diceva di essere un ispettore di polizia e di aver ammazzato un cane pit bull. L'avevano portata al pronto soccorso e lí erano arrivati Matera e Sarrina. Carlisi aveva voluto vederla subito alla Mobile, solo per capirci qualcosa prima che arrivassero il questore, il magistrato e i giornalisti, il rapporto domani, per carità con tutto quello che hai passato. Non era complicata la storia. Lui l'aveva rapita per rendere credibile la sua morte. Lei era riuscita a liberarsi e gli aveva sparato per prima, ancora non sapeva come. Lo piscologo e tutti gli altri non avevano capito niente del Pit bull. Altro che uscire dal silenzio. Voleva rientrarci, nel silenzio, da un'altra parte, e continuare come prima. Forse gli piaceva, o forse non poteva fare altro. Non stava a lei capirlo. Lei lo aveva preso.

Questa volta lo aveva accettato fino a casa, il passaggio. Sarrina entrò anche nel cortiletto e Matera le aprí lo sportello.

– Ce la fai a scendere da sola?

– E dài, Cristo...

– Vabbe', però riguardati. Oh, e facci sapere... se sei incinta, dico.

Salí le scale, piano, perché in effetti le faceva male dappertutto, anche la lingua, e la testa un po' le ronzava. Le venne in mente la pioggia, il camper, Vittorio e strinse le labbra, no, niente, niente, domani.

Pensò che Matera aveva ragione, poteva farsi dare un incarico giusto e fare carriera in un posto importante. E se era incinta? Che doveva fare, sposarsi? E se non voleva tenerlo? E se invece voleva, che faceva? Lasciava perdere tutto? E Simone? C'erano un sacco di cose che doveva discutere con Simone.

Grazia apre la porta e lo vede, fermo vicino al divano, che fa finta di non averla sentita. Deve essere appena tornato anche lui, perché non ha ancora attaccato il soprabito.

– Simo', sono a casa, – dice. – Vieni qua che dobbiamo parlare.

•

Un giorno dopo l'altro... il tempo se ne va... Le strade sempre uguali... le stesse case.

Ho aperto gli occhi solo il tempo di battere le palpebre, e l'ho visto. Stava allungando una mano perché credeva che dormissi, ma non è vero, sono sveglio. Mi è capitato un sacco di volte di addormentarmi con le cuffie, ma non con Tenco, non ci riuscirei.

Adesso, se lo ascolto, non mi fa piú l'effetto che mi faceva una volta, quando non riuscivo a sentirlo senza che mi si chiudesse la gola per le lacrime. La gola mi si chiude sempre, ma non è per quello, è un sentimento diverso. È un senso di sospensione, di attesa, anche di angoscia. Di paura perché non ho idea di che succederà e ancora non so se ho fatto la scelta giusta. Sí, non è che sia migliorato di molto, ma è un'altra cosa, e con i sentimenti sono le sfumature che contano.

Apro gli occhi e lo blocco a metà gesto. Mi tolgo le cuffie, anche se potrei soltanto mostrargli i documenti e starmene zitto a guardarlo da lontano mentre galleggio in mezzo alla voce densa e fumosa di Tenco, ma lo so che mi dirà qualcosa e io dovrò rispondere, anche se è tutto a posto. I poliziotti sono poliziotti dovunque, anche in Svizzera.

Dodici ore e mezzo, cambio a Basilea e dritto

fino a Copenaghen. Cinquecento carte per me e trecentonovantasette per il Cane, che ha diritto al quaranta per cento di sconto. Piú busta con certificato di iscrizione all'anagrafe canina con tatuaggio o microchip, attestazione di avvenuta vaccinazione antirabbica effettuata da almeno venti giorni e da non oltre undici mesi, e contributo spese di lire ottomilaseicentosettanta pagato mediante bollettino postale. Tutto questo senza sapere cosa farà Kristíne quando mi vedrà arrivare col Cane, se mi salterà addosso per baciarmi come in un film o ci darà un calcio nel sedere a tutti e due. Ecco perché ho paura.

Avrei potuto andarci in aereo a Copenaghen, ma a parte che spendevo di piú, avrei dovuto portare il Cane al reparto merci, come un pacco, e farlo mettere in una gabbia nella stiva, e non me la sentivo. Cosí, invece, posso tenerlo semplicemente al guinzaglio, basta che abbia la museruola. Mettergliela è stato facilissimo: l'ho fatto mentre dormiva e ancora non se n'è accorto.

Il poliziotto svizzero prende i miei documenti e li studia come se dovesse impararli a memoria, poi guarda il Cane spiaccicato sul pavimento tra i sedili e alza un sopracciglio. So cosa sta per dirmi. È la ragione per cui sto viaggiando da tre ore e mezzo in uno scompartimento vuoto. Cosí lo precedo e glielo dico prima io.

– Non è un pit bull. È un american stafford. Sembra un pit bull ma non lo è.

Stampato per conto della Casa editrice Einaudi
presso Mondadori Printing S.p.A., Stabilimento N.S.M., Cles (Trento)

C.L. 15587

Edizione   Anno

5   6   7   8   9   10   11   2001   2002   2003   2004